D0198634

Ai ai kapitein!
Griezellige zeeverhalen

Het Griezelgenootschap

Ai ai kapitein!
Griezellige zeeverhalen

Tekeningen van Camila Fialkowski

 Leopold

STICHTING NEDERLANDSE
KINDERJURY
2003

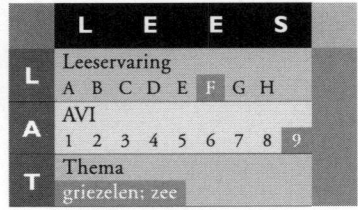

Toegekend door KPC Groep te 's-Hertogenbosch.

Eerste druk 2002

© 2002 tekst: de auteurs van de bijdragen

Omslag en illustraties: Camila Fialkowski

Uitgeverij Leopold, Amsterdam

ISBN 90 258 3595 3 / NUR 279/283

Inhoud

Het Griezelgenootschap (GG):

Een tipje van de sluier 9

Het complete Griezelgenootschap stond aan de reling van het schip en keek naar de woeste golven en het spattende schuim van de Noordzee. Acht lijkbleke gezichten. Paul van Loon, de voorzitter, hield zijn zonnebril met beide handen op zijn gezicht gedrukt. Eddy C. Bertin, de secretaris die nooit gezien werd zonder sigaartje tussen de lippen, keek naar adem snákkend omlaag. Daar ergens dreef zijn sigaar in de kolkende watermassa.

Els Rooijers die haar haar voor de gelegenheid marineblauw had geverfd, riep iets wat niemand kon verstaan. Een nieuwe stormwindvlaag gierde krijsend voorbij.

De leden van het GG waren eerder die nacht in Hoek van Holland aan boord gegaan om over te steken naar Engeland, waar de eeuwlijkse bijeenkomst van alle Europese griezelgenootschappen gehouden werd.

Deze eeuw was het Engelse griezelgenootschap de Fear Society gastheer. De Franse griezelschrijvers van de Confrérie de l'Effroi en de Duitse van Grüsel & Co waren natuurlijk ook van de partij, net als de Ieren.

De boot zou de GG-leden naar Whitby brengen, een kleine

havenplaats aan de Noordoostkust van Engeland. Daar ergens zou het samenzijn worden gehouden.

Alle leden waren in een feestelijke bui (vooral Henk van Kerkwijk, die zijn Ierse collega's voor het eerst sinds honderd jaar weer eens zou spreken), totdat ze in de haven arriveerden. Toen zakte de stemming.

In plaats van de snelle, moderne veerboot die ze verwachtten, dobberde er een zeilschip aan de kade.

'Een schoener,' zei lid Van de Waarsenburg. 'Ik herken dat type boot altijd aan het kraaiennest. Dit is een antiek vaartuig, mensen. Een museumboot.'

'Dat gaat een lange reis worden,' zei Jaques Weijters afwezig. 'Ik hoop dat ik in de tussentijd nog iets nuttigs kan doen.'

De Eeuwige van Ede keek duister onder de rand van zijn hoed. 'Eddy, licht me eens bij met de punt van je sigaar,' zei hij, 'ik probeer de naam van die boot te ontcijferen.' Hij tuurde bijziend in de nacht en zei toen: 'DE METER heet die boot. Wat een gekke naam.'

Els Rooijers stond met heftige gebaren tegenover de voorzitter.

'Een zeilboot Paul, dat is toch hartstikke ouderwets? Waarom nemen we de Kanaaltunnel niet? Snel en van alle gemakken voorzien.'

De voorzitter deed alsof hij luisterde maar hij volgde zijn eigen gedachten. Die gingen ongeveer zo: Een zeilboot... met een schoener naar Whitby... dat doet me ergens aan denken. Als Els nou effe haar mond hield, wist ik misschien waaraan.

'In de tunnel kun je rustig genieten van fijne snacks zoals gefrituurde kakkerlak en je hebt er geen last van de zee of de wind of de kou!'

Tais 'de IJskoude' Teng zat op zijn koelbox en bette zijn hoofd met een ijsblokje. 'Wás het maar koud,' zei hij. 'Maar het is wat de meeste mensen "prachtig weer" zouden noemen. Kijk, als het nou flink vriest, dan schaats ik zó in mijn zwembroek naar de overkant. Iemand een slokje koelvloeistof?'

Zijn aanbod werd hartelijk afgeslagen. 'Het is bijna middernacht, dame en heren,' zei de voorzitter met een blik op zijn horloge. 'De boot vertrekt stipt op tijd, dus laten we instappen.'

Over een krakende en wiebelende loopplank ging het gezelschap aan boord van DE METER.

De stuurman stond al achter het roer. Het was een zwijgzame, stugge man die beide handen stevig aan de spaken hield en geen boe of ba zei. Onder de heldere sterrenhemel stond hij roerloos in de verte te staren.

'Het lijkt wel of zijn handen aan dat roer vastgevroren zijn,' merkte de IJskoude op. 'Wat een chagrijn.'

'De tunnel was misschien toch beter geweest,' zei Hans van de Waarsenburg. 'Als het niet gaat waaien, liggen we overmorgen nog in de haven.'

Het was alsof de nacht op die opmerking had gewacht. Vanuit het niets kwamen inktzwarte wolken aangedreven. Enorme, grauwe schuimkoppen verschenen op het water, dat daarnet nog glad als een spiegeltje was. De wind blies opeens met windkracht acht. De schoener werd van zijn meertouwen gerukt en de loopplank stortte in het water. Met veel gekraak van masten en touwen, geklapper van zeilen en geschuur van de scheepshuid langs de kade wendde de schoener het steven en voer de haven uit.

De wind zwol aan tot vliegende storm. Eddy, die een sigaartje opstak, voelde hoe zijn rookwaar tussen zijn lippen vandaan geblazen werd en keek het met een beteuterd gezicht na.

Zo stond het hele GG met bleke gezichten te kijken naar waar Nederland allang achter de golven verdwenen was.
Henk van Kerkwijk was de enige die niet opvallend bleek was, misschien omdat hij regelmatig per schip naar Ierland reist. Bovendien zijn roodharigen van zichzelf al bleker dan normale mensen.

'Als ik kon zingen, zou ik een zeemanslied aanheffen,' riep hij tegen de vliegende storm in. 'Van Loon, Van Ede, kunnen jullie niet iets zingen?'

De voorzitter was diep in gedachten verzonken en hoorde niets.

De Eeuwige, die voor het eerst sinds eeuwen zijn hoed had afgezet, zong iets uit volle borst dat wegwaaide op de wind. Alleen de regels 'Beneden in het kanaal, daar drijven wij allemaal' waren hoorbaar.

'We zijn nog lang niet in het Kanaal,' riep Els, wier haar door de zoute wind inmiddels grijsblauw gebleekt was. 'Dit is de Noordzee nog.'

Jaques Weijters verscheen uit het niets. 'Ik ben even snel beneden wezen kijken,' zei hij. 'Er is helemaal niemand aan boord behalve wij en die stuurman.'

Paul keek hem met een ruk aan.

'Dat doet me alweer aan iets denken,' zei hij. 'Een schoener op weg naar Whitby. Een stuurman die niet bij zijn roer vandaan komt. Een leeg schip en een vliegende storm. Ik weet het bijna. Wacht nog even…'

Tais Teng stond met ontbloot bovenlijf tegen de wind in te leunen. 'Het mag iets kouder, wat mij betreft. Zouden jullie er bezwaar tegen hebben als ik een frisse duik neem?'

Net toen iedereen hem wilde verzekeren dat hij het schip nóóit zou bijhouden, viel de storm weg. Een dreigende stilte hing opeens over de donkere zee. De enorme zeilen van de schoener vielen slap als nat wasgoed tegen de masten aan.

De voorzitter hield zijn hoofd een tikje scheef alsof hij in de stilte iets hoorde wat alleen hij kon horen.

'Heb je Hem weer,' zuchtte Hans van de Waarsenburg. 'Ik wou net voorstellen om wat vis te vangen voor een stevige maaltijd. Komt de GehAd weer storen.'

Eddy keek hem bestraffend aan. Als secretaris van het GG wist hij alles van de straffen die de Geheime Adviseur uitdeelt aan oneerbiedige GG-leden.

'Juist,' zei Paul toen hij zijn hoofd weer uit de luisterstand haalde. 'Ik heb net een bericht binnengekregen van je weet wel. Ik hoop dat het lang genoeg windstil blijft om het aan jullie te kunnen vertellen. Trouwens, doet deze storm jullie ook niet ergens aan denken?'

'Ja, dat we beter door de tu...' begon Els, maar Tais legde haar ijskoud het zwijgen op.

'Een zeilschip dat door de storm naar Whitby wordt geblazen...' zei de voorzitter, '...het ligt op het puntje van mijn tong.'

'In Whitby kwam Dracula met de boot uit Transylvanië in Engeland aan,' zei Henk van Kerkwijk, die veel van Engeland weet omdat hij ook daar lang heeft gewoond. 'Daarom is Whitby zo'n leuke plek voor onze bijeenkomst.'

'Ja, dat weet ik,' zei de voorzitter. 'Dracula is mijn lievelingsboek en ik...'

Ook hem werd de mond gesnoerd. Zijn hoofd schoot terug in de luisterstand.

'De GehAd vraagt of ik zijn boodschap wat sneller aan jullie wil doorgeven,' zei hij toen zijn hoofd weer gewoon stond. 'Hij wil de storm niet langer tegenhouden, anders komen we te laat voor de welkomstborrel.'

'En dan hebben de Duitsers en de Ieren het bier opgedronken en de Fransen de kaas opgegeten,' zei de Eeuwige. 'Net als in 1802, weet je nog?'

'Maar de kakkerlakken hadden ze lekker laten liggen,' zei Els, haar lippen likkend.

'De GehAd laat weten dat het de bedoeling is dat we allemaal een verhaal hebben,' ging de voorzitter onverstoorbaar verder.

'O?' zei Jaques Weijters, die weer opdook. 'Nou, ik heb wel een verhaal. Die stuurman achter ons...'

'Nee, een griezelverhaal. Om aan onze Duitse, Engelse, Ierse en Franse vrienden te vertellen,' legde Paul uit.

Een zucht van tegenzin klonk uit zeven monden.

'Een verháál? Ik dacht dat we vakantie hadden,' protesteerde Hans van de Waarsenburg. 'We gaan toch feestvieren, wat krijgen we nou?'

'Een opdracht van de GehAd is een opdracht van de GehAd,' zei Paul. 'Sorry, jongens, we kunnen niet meer onbezorgd van onze overtocht genieten. Het is uit met de zeilpret, we moeten aan het werk.'

'Beneden zijn hutten zat,' zei Jaques Weijters. 'Ik heb er in de tussentijd even rondgekeken en overal liggen pennen en papier.'

'Dat zei de Geheime Adviseur ook al,' knikte Paul. 'Dat we het beste benedendeks konden gaan omdat het hier te winderig is voor het verzinnen van verhalen.'

'Zeg,' zei Els, 'hebben onze buitenlandse vrienden dan ook verhalen voor óns? En hoe denkt de GehAd dat wij aan goeie ideeën voor verhalen komen?'

Het antwoord dat Paul haar gaf, ging verloren in de storm die er opeens weer was. De schoener danste op de golven als een jong veulen. Het dek ging alle kanten op. De GG-leden werden bijna weggeslingerd. Met moeite bereikten ze de toegang tot het ruim die vlak voor het stuurwiel lag.

Terwijl ze naar beneden struikelden, dachten ze allemaal iets vreemds aan de zwijgzame stuurman te zien. Was het verbeelding, of waren zijn handen aan het stuurwiel vastgebonden? En hield hij echt een crucifix vastgeklemd?

Jaques Weijters had gelijk, er was in de buik van het schip niemand te bekennen. Er waren een stuk of wat verlaten hutten en iedereen zocht een plekje waar hij – en zij – rustig kon nadenken over een verhaal dat klaar moest zijn voordat ze Whitby binnenvoeren.

Terwijl buiten de storm jammerde in de zeilen en de touwen, was het binnen stil.

De voorzitter had de kapiteinshut uitgekozen en zat achter een grote tafel waar allerlei bestofte boeken en perkamenten op lagen. Russische boeken en Russische perkamenten, zag hij. En ook dat deed hem weer aan iets denken. 'Als ik nou maar wist waar het me aan doet denken,' mompelde hij tegen zichzelf terwijl hij met de andere helft van zijn gedachten een verhaal verzon dat hij kon vertellen op het eeuwfeest.

Omdat de voorzitter de enige is die contact heeft met de GehAd, was hij de enige die bij hem om raad kon vragen. En dat deed hij dan ook. Dat wil zeggen, hij was het net van plan, toen de secretaris binnenkwam.

'Paul,' zei Eddy, die twee sigaartjes rookte om de weggewaaide sigaar te compenseren, 'Paul, er is iets vreemds aan de hand.' Hij wreef in zijn handen, waarbij de ringen aan zijn vingers ratelden. 'Er gebeuren de meest vreselijke dingen in mijn hut. Zelfs Valentina Hellebel zou er akelig van worden. Wat is dit voor schip, Paul? Hoe zijn we hier terechtgekomen?' 'Tja,' zei de voorzitter verontschuldigend. 'Ik weet het ook niet, secretaris. De GehAd heeft alles geregeld. Maar wat zie jij dan voor vreselijke dingen in jouw kajuit dat zelfs Valentina er bang van zou worden?'

Eddy kreeg geen kans om het te vertellen. De deur vloog open en Els Rooijers vloog naar binnen. Haar haar was inmiddels spierwit geworden.

'Paul! Wat ik nou toch gezien heb in mijn hut! Het is vreselijk!'

Ze kreeg geen kans om te vertellen wat ze gezien had want het volgende GG-lid kwam luid jammerend binnen. Het duurde maar even voordat het hele GG rond de kapiteinstafel verzameld was.

'DE METER heet deze boot, hè?' mopperde Bies van Ede. 'Nou Van Loon, ik kan je vertellen, deze boot deugt voor geen meter.'

'DE METER,' zuchtte Paul. 'Ik dacht al, die naam doet me ergens aan denken.'

'Ik sliep geeneens en ik kreeg toch een gratis nachtmerrie,' klaagde Tais Teng. 'Man, ik werd ijs- en ijskoud. Nou ja, dat was dan wel weer lekker...'

'En ik...' zei Hans van de Waarsenburg.

'Nee, ik,' drong Jaques Weijters voor, 'ik...'

'Heren, dame, niet allemaal tegelijk!' De voorzitter stak bezwerend zijn handen op. 'Zullen we allemaal om beurten vertellen wat voor vreselijks jullie hebben gezien in jullie hut? Dan zal ik het goede voorbeeld geven en beginnen.'

'Waarom jij? Wat heb jij dan gezien? Waarom ik niet?' protesteerden de leden door elkaar heen.

'Omdat ik de voorzitter ben. Dat spreekt,' zei Paul.

'Luister.'

Schatgravers

door Paul van Loon

Drie merkwaardige schaduwen slopen naar het huis, dat er in het maanlicht naargeestig uitzag. Bijna net zo naargeestig als de drie schaduwen. De eerste had een grote bult op zijn rug, de tweede sleepte met een houten poot en de derde had wilde, zwarte haren en was rondborstig. Een angstaanjagend trio. De derde met de wilde haren heette Wilde Sara. De tweede met het houten been noemden ze Houtworm. De eerste met de bochel heette Spijker.

'Dit is het huis van kapitein Rip.'

'Hoe weet jij dat, Wilde Sara?' gromde Houtworm.

'Omdat de naam op deur staat: Rip.'

'Wow! Vrouwen zijn toch altijd slimmer.'

'Fijn dat we jou bij ons hebben, Wilde Sara,' zei Spijker. 'Jij kan lezen.'

Houtworm tikte peinzend met zijn houten voet op de tegels van het tuinpad.

'Dus als het goed is, moet hier de schat zijn. In dit huis of in de tuin?'

'Klopt, Houtworm,' zei Wilde Sara. 'Ik heb het stiekem gelezen in het geheime dagboek van de kapitein.

"Thuis ligt mijn schat verstopt", stond er. "Ik ben blij dat niemand dat weet, want dan zou het al snel wemelen van de dieven."'

'Maar wat voor schat is het?' zei Houtworm. 'Een schatkist, of gewoon een berg juwelen en goud en zilver?'

'Wat maakt dat nou uit?' zei Spijker. 'Als het maar vet veel is!'

'Nou, wat doen we? Binnen zoeken of buiten? Meteen

graven, of eerst inbreken?'

'Ho, ho, ho.' Wilde Sara stak haar ronde borsten vooruit. 'Het is maar goed dat ik erbij ben. Niet alleen omdat ik kan lezen, maar ook omdat jullie dom zijn.'

Spijker en Houtworm keken Wilde Sara dom aan.

'Dom? Wij? Wat bedoel je?'

Wilde Sara zuchtte.

'Inbreken is toch hartstikke stom! Dan weten ze meteen dat we iets komen stelen. We gaan netjes aanbellen.'

Spijker knikte.

'Da's waar. Eh, ik ben dom, dus mag ik een domme vraag stellen? Is het niet een beetje vreemd als wij midden in de nacht zomaar aanbellen?'

Wilde Sara knipoogde.

'Goeie, domme vraag, Spijker. Maar ik heb overal aan ge- dacht. We zeggen dat we nachtloodgieters zijn. Dat er een lek is dat wij moeten opsporen. En dat wij dus alle kamers moeten onderzoeken op meerdere lekken.'

'Wow, fijn dat jij bij ons bent, Wilde Sara,' zei Hout- worm. 'Nachtloodgieters, daar zou ik nooit op gekomen zijn.'

Wilde Sara drukte hard op de bel. 'Het zal wel even du- ren voor ze open doen, want normale mensen slapen nu natuurlijk.'

De deur zwaaide open nog voor zij uitgesproken was. In de opening stond niemand. Er was alleen een donker gat.

'Eh, goedenacht,' zei Houtworm met een piepstemmetje. 'De nachtloodgieters. Er zijn hier lekken gesignaleerd en die moeten wij dichten.'

'Moeten we ook nog gaan dichten?' fluisterde Spijker. 'Dat kan ik niet, hoor. Ik kan niet eens lezen, laat staan rij- men.'

Wilde Sara stampte op zijn tenen. 'Hou toch je kop, dwaas.'

'Komt u binnen,' ruiste een zachte meisjesstem. Spijker sprong van schrik in de armen van Wilde Sara. Ze gooide hem weg.

'Kom.'

'Kom? Waar naartoe?' stamelde Houtworm.

'Naar binnen, ezel. We zijn toch uitgenodigd.'

'Goh, da's waar. Fijn dat jij erbij bent, Wilde Sara.'

De twee piraten volgden haar het donkere huis in.

'Maar… van wie was die stem eigenlijk-lijk-lijk-lijk?' vroeg Spijker. '

Zijn stem weergalmde in de koude stenen hal en kreeg drie echo's. Of waren er drie andere stemmen in het duister, die hem nariepen?

'Loop nou maar,' zei Wilde Sara en ze duwde de twee over de drempel.

Op hun tenen liepen ze de hal in. Het was donker en frisjes. Ze sloegen alledrie hun kraag graag op.

Houtworm voelde opeens een koude hand in zijn nek en gilde.

'Oh, sorry,' zei Wilde Sara. 'Ik had koude handen en jouw nek zag er zo lekker warm uit.'

'Wat gaan we nou doen?' zei Spijker. 'Waar gaan we zoeken?'

'De trap op,' fluisterde een koude stem.

Ze keken om zich heen. Er was niemand te zien. Misschien hadden ze dan ook wel geen stem gehoord.

Wilde Sara schraapte haar keel.

'Eh, eens kijken, mannen,' zei ze met een luide stem. 'Wij gaan eerst maar eens boven zoeken. Een stemmetje in mijn hoofd zegt mij dat daar misschien een flink lek is.'

'Oef, waarom gil je zo?' fluisterde Spijker. 'Wij horen je heus wel hoor. Bovendien zit je in mijn oor te spugen.'

Wilde Sara schonk hem een vernietigende blik.

'Natuurlijk horen jullie mij, koekhannes. Maar het gaat

er juist om dat zíj mij ook horen.'

'Zij? Wie zijn zij?'

'De mensen in dit huis, oorwurm.'

'Waar zijn die dan?'

'Weet ik niet. Misschien zijn ze verlegen, maar zij moeten toch denken dat wij op zoek zijn naar een lek. En... Oh, laat maar. Was ik maar op het piratenschip gebleven.'

'Fijn dat we jou bij ons hebben, Wilde Sara,' zei Houtworm met een stem vol slijm. 'Jij bedenkt de slimme plannetjes. Jij kunt lezen en schrijven. En je bent mooi en rondborstig en niet zo heel dik en...'

Sara gaf hem een oorveeg en glimlachte. 'Al goed, vlijkont. Denk maar niet dat ik je niet door heb. Kom, we gaan de trap op.'

Beneden in de hal ging de kamerdeur op een kier open. Rode ogen gluurden naar de drie nachtloodgieters.

Tanden blikkerden. Er klonk een schurend gegrinnik achter de deur. Toen sloot hij weer zachtjes.

De traptreden kraakten als een heks met reumatiek, toen ze naar boven gingen. Boven was de overloop, ook een donker gat. Toen ze daar bijna waren, sprong er iets blazend en krijsend uit dat gat tevoorschijn. Als een wervelwind raasde het langs Spijker, Houtworm en Wilde Sara. Ze voelde vlijmscherpe klauwen op hun huid. Kleren aan flarden, bloedende strepen op hun gezicht. Toen was het voorbij.

Versuft stonden de drie op de trap en hielden zich duizelig vast aan de leuning.

'Wat was dat voor een monster?' hijgde Houtworm.

Spijker stak zijn vinger op in het duister, maar niemand zag het. 'Het was een kat.'

Houtworm maakte een snorkend geluid.

'Een kat? Maak dat de kat wijs. Volgens mij was het een woeste Worrelaar.'

Nee, het was een kat.'

'Hoe weet je dat, wijsneus?'

'Ik hoorde miauw.'

'Hoorde jij miauw? Wat…'

Wilde Sara snoof als een boze stier.

'Zijn de heren misschien klaar met hun theekransje? Het doet er niet toe of het een kat was of een woeste Worrelaar of een Tibetaanse tortelduif. Wij moeten verder.'

De andere twee knikten. Dat zagen ze zelf niet eens, want daarvoor was het te donker. Ze liepen verder de trap op.

'Hadden we maar licht,' zei Houtworm.

Spijker bleef staan. 'Bedoel je een zaklantaarn? Die heb ik wel, hoor.' Het volgende moment scheen een felle straal door de duisternis, recht in de ogen van Houtworm.

'Shit, schijn niet in mijn gezicht, idioot. Waarom heb je niet eerder gezegd dat je een lantaarn had?'

'Niemand vroeg er naar.'

Klats! Een keihard kletsend geluid in het donker.

'Auw, mijn oor gloeit!' De jammerende stem van Spijker.

'Eigen schuld.' De woedende stem van Wilde Sara.

'Je mag blij zijn dat ik mijn kunstgebit niet in heb, anders beet ik je neus eraf.'

Ze rukte de lantaarn uit Spijkers hand en ging voorop over de overloop. Daar ritselden dingen in het duister. Daar kraakten planken onder hun voeten. Daar bewogen schaduwen op de muur en piepten deuren.

'Oud huis,' zei Houtworm. 'Ik hoor de houtwormen in de balken. En die deuren moeten nodig gesmeerd worden.'

'En die bewegende schaduwen dan?' vroeg Spijker.

'Schaduwen kun je niet smeren, dombo.'

'Stil, oliebollen. Kijk daar eens.' Wilde Sara wees naar de grond. Daar was met wit krijt een pijl getekend. De pijl wees naar een deur.

'Wat is dat?' fluisterde Spijker.

'Een aanwijzing,' antwoordde Sara.

'Wat doen we daarmee?'

'Volgen, natuurlijk,' zei Houtworm. 'Aanwijzingen zijn er om te volgen, sufferd.'

'Maar van wie komt die aanwijzing?'

Wilde Sara schudde haar wilde haren. 'Wat ben jij toch dom, Spijker. Een aanwijzing krijg je gewoon. Daar moet je blij mee zijn en verder geen vragen stellen.'

Ze liepen naar de deur. Tergend langzaam ging die open met een onheilspellend gepiep.

Spijker kneep in Houtworms arm. 'Dat onheilspellend gepiep bevalt mij niet,' fluisterde hij.

'Waarom niet.'

'Het is zo... onheilspellend.'

Houtworm knikte. 'Da's waar. Misschien...'

Wilde Sara draaide zich om en schopte hen allebei tegen een knie.

'Houden jullie nou je koppen toch eens dicht, dames. Daar binnen staat iets.' De deur was inmiddels na heel veel onheilspellend gepiep helemaal open. Wilde Sara scheen met de lantaarn in de donkere kamer. De lichtstraal duwde het duister opzij en toonde hen een zwarte kist in het midden van de kamer.

Spijker en Houtworm keken er met open mond naar. Spijker kreeg een traan in zijn oog.

'De.. de kist van de kapitein.'

Houtworm knikte. 'De schat,' mompelde hij.

'Nou, een schat zou ik kapitein Rip niet willen noemen. Best een aardige kerel, dat wel. Maar...'

Pats! Klets! Het geluid van twee oorvegen.

'Au!'

'Ai! Shit! Sara, niet doen.'

Wilde Sara hield Spijker en Houtworm stevig bij een oor vast.

'Nu is het afgelopen. Muilen toe. Daar staat de schatkist en die gaan wij stelen voor de bewoners iets in de gaten krijgen door jullie kleutergeklets.'

Ze scheen met de lantaarn in de gezichten van de twee piraten. 'Begrepen?'

Ze knikten. Spijker stak snel een vinger op.

'Een vraagje, juffrouw. Ik bedoel, Wilde Sara. Weten wij zeker dat die kist echt de schatkist is? Moeten we er niet even in kijken voor we hem de trap af sjouwen?'

'Da's waar, Spijker. Jij bent toch niet zo dom als Houtworm er uitziet. We gaan kijken wat er in de kist zit. Kom mee.'

Ze liepen de kamer in.

Houtworm krabde op zijn hoofd. 'Ik heb geen breekijzer bij me. Jammer. Schatkisten zijn altijd heel moeilijk open te krijgen zonder sleutel of breekijzer. Wat doen we?'

'Eerst kijken, jongens.'

Op hun tenen liepen ze om de kist heen. Wilde Sara voorop. Daarachter Houtworm en tenslotte Spijker. Ze slopen drie rondjes om de kist. Bekeken hem van alle kanten. Ze zagen geen slot.

Spijker vloekte. 'Vervloekt. Een schatkist zonder slot. Die krijgen we nooit open, want hij is nooit op slot gedaan.'

Terwijl ze daar stonden te piekeren, ging opeens het deksel van de kist langzaam open met een onheilspellend gepiep.

'Shit. Alweer dat onheilspellende gepiep!' riep Spijker, terwijl hij Houtworms arm vastgreep. 'Ik krijg er de zenuwen van.'

Wilde Sara scheen met de lantaarn in de kist. Een bleke gedaante ging rechtop zitten. Hij droeg een zwarte cape met een rode voering. Zijn haar was strak achterover gekamd. Zijn gezicht was zo wit als was. Als was zo wit was het dus. En zijn ogen waren rood als bloed.

'Oei, dat is geen schat,' zei Spijker.

Houtworm schudde zijn kop. 'Nee, dat lijkt meer op een vampier, maar beslist geen schattige.'

De vampier keek de drie piraten aan. Zijn mond ging wijd open. Ze zagen twee messcherpe hoektanden.

Voor de piraten konden schrikken, sloeg de vampier zijn handen voor zijn gezicht.

'Nee!' riep hij. 'Doe mij alstublieft niets, heren. Mijn naam is Ernst Rip.'

'Ik ben geen heer,' gromde Wilde Sara. 'En die andere twee trouwens ook niet. Wij zijn de nachtloodgieters en wij zoeken lekken.'

'Doe het niet,' gilde Ernst Rip met zijn handen voor zijn ogen.

'Ik zal alles zeggen wat jullie willen. Ik zal alles verraden. Ik zal precies uitleggen waar het ..eh lek ligt, dat jullie zoeken. In de tuin.'

De drie keken elkaar aan. 'Een lek in de tuin?'

'Ja, daar ligt de schat begraven. Het lek, bedoel ik.'

'Ligt er een lek begraven in de tuin?' zei Spijker.

Wilde Sara draaide zich om en stootte hem aan. 'Sst, sukkel. Deze schattige vampier is nog dommer dan jullie. Hij heeft zijn mond voorbij gepraat. De schat is in de tuin begraven, dat zei hij.'

'Goh, Wilde, wat fijn dat jij bij ons bent,' fluisterde Houtworm. 'Anders waren Spijker en ik een lek gaan zoeken in de tuin.'

Wilde Sara stak haar rondborstigheid in de richting van de vampier.

'Luister, schatje. Vertel ons rustig waar dat lek precies ligt, dan doen we jou niets.'

Onmiddellijk begon Ernst Rip loeihard te huilen.

'Ik weet het niet,' snikte hij. 'Ik weet het echt niet. Ergens in de tuin. Jullie zullen moeten graven, de hele tuin omspitten tot je de schat gevonden hebt. Elke vierkante centimeter. Zei ik schat? Ik bedoel tot je het lek gevonden hebt.'

Snikkend verborg hij zijn gezicht in zijn handen, ging in de kist liggen en trok het deksel dicht. Nog steeds hoorden ze gierende uithalen door het deksel heen. Hij huilde zo hard, dat het leek of hij lachte.

Spijker had ook tranen in zijn ogen. 'Wat een verdriet. Moeten wij hem niet troosten?'

'Troosten? Wij gaan die vervloekte tuin omspitten tot wij de schat gevonden hebben.'

Achter hen in het duister van de overloop klonk een zacht, grommend gegniffel. Spijker keek verbaasd om.

'Hé, ik hoorde een zacht, grommend gegniffel.'

Houtworm spuugde op de grond en hees zijn broek tot onder zijn oksels. 'Weet je zeker dat het geen onheilspellend grommend gegniffel was?'

Spijker dacht even na. 'Misschien wel, maar in elk geval…'

'Dames, het spijt me dat ik jullie moet onderbreken, maar wij gaan nu graven in de tuin. Naar beneden. Hop!'

Wilde Sara schopte hen allebei de kamer uit, zodat ze over de overloop rolden en de trap af stuiterden. Spijker was de winnaar, want hij was het eerste beneden.

Verdwaasd ging hij overeind zitten. De gang draaide voor zijn ogen.

'Waar is de tuin? Welke kant op?'

Een ijskoude wind streek langs zijn gezicht. De temperatuur daalde plotseling 25 graden en even leek het of hij een doorzichtig gezicht voorbij zag komen, een meisje met lange haren.

'Die kant op,' fluisterde een diepvriesstem.

Spijker rilde, er hingen ijspegels aan zijn haar.

'W-welke k-kant?'

Toen kwam er iets met een enorme smak boven op hem terecht. Het was Houtworm, die als tweede beneden aankwam. Het diepvriesmeisje was verdwenen. De temperatuur ging snel weer omhoog.

'Kom op, opstaan, nachtloodgieters.' Wilde Sara stampte als laatste de trap af. 'Het lek wacht in de tuin op ons. Waar is de uitgang.'

'Die kant op,' zei Spijker. Hij wees naar een deur.

'Weet je het zeker?' vroeg Houtworm. 'Daar is ook nog een andere deur.'

Spijker knikte. 'Ik weet het zeker, denk ik. Een doorzichtig meisje wees mij de weg, geloof ik.'

Wilde Sara schoot in een woeste giechel. 'Tsss. Een doorzichtig meisje? Heb jij een klap van de molen gehad, Spijker?'

Houtworm schudde zijn hoofd. 'Nee, Wilde, het komt door mij. Ik ben op Spijkers kop geland.'

'Dat verklaart alles,' zei Wilde Sara. 'We nemen die andere deur wel.'

Zij trok de andere deur open. In de opening stond een harige figuur met gloeiend rode ogen, blikkerend witte tanden, een gitaar om zijn nek en een onheilspellende grijns op zijn bek. Toen ze beter keken, zagen ze dat het geen gitaar was, maar een schop.

'O, help,' riep Spijker. 'Een weerwolf met een schop en een onheilspellende grijns.'

De weerwolf deed alsof hij gitaar speelde op zijn schop en begon te zingen.

'Mijn naam is Jimi Rip, ik speel gitaar, met volle maan krijg ik klauwen en veel haar.'

Wilde Sara gooide de deur dicht. 'Verkeerde deur. We nemen toch maar die deur van Spijker.'

'En die weerwolf?' riep Houtworm.

Wilde Sara haalde haar schouders op. 'Zingende weerwolven bijten niet. Kom mee.'

Ze liepen door de andere deur en stonden in de tuin.

Houtworm keek in het rond.

'En nu?'

'Graven,' zei Wilde Sara.

'Dan hebben we een schop nodig.'

'De weerwolf!' riep Houtworm.

Wilde Sara zuchtte. 'Met een weerwolf kun je niet graven, Houtworm.'

'Nee, dat bedoel ik niet, Wilde. Die weerwolf van daarnet had een schop.'

'Houtworm, je bent veel minder dom dan Spijker er uitziet.'

Wilde Sara holde terug het huis in, trok de *andere* deur open, rukte de schop uit de klauwen van de weerwolf, smakte de deur dicht en holde terug naar de andere piraten.

'Ziezo, wie begint met graven?'

Spijker wreef in zijn handen. 'Joepie! Als ik de schat het eerst vind, mag ik hem dan houden?'

Wilde Sara en Houtworm keken elkaar aan, glimlachten en knikten allebei heel hard.

'Natuurlijk, Spijker.'

'Absoluut.'

'Vanzelfsprekend.'

Spijker glimlachte tevreden. 'Mooi, dan begin ik maar.'

Hij pakte de schop en begon te graven. Kluiten aarde vlogen in het rond. Hoog in de bomen krasten kraaien. De maan hing als een lampion boven de daken en Spijker ploegde de grond om.

Houtworm en Wilde Sara zaten lui achterover en keken naar de maan, luisterden naar de kraaien en het geluid van Spijker zijn schop. Langzaam vielen hun ogen dicht.

Ze zagen de gezichten achter de ruiten niet. Een bleek

gezicht met rode ogen en lange hoektanden, een behaard gezicht met spitse oren. Een doorzichtig meisjesgezicht, met lange haren. Met haar koude adem blies het meisje sneeuwbloemen op de ruit. Naast haar zat een kat.

'Hé, hier ligt iets!' riep Spijker, na drie uur graven en spitten. Hij wees in het gat dat hij gegraven had. De twee andere piraten schrokken wakker en vlogen overeind. De drie achter de ruit en de kat drukten hun neuzen nieuwsgierig tegen het glas.

'Laat zien, laat zien,' riep Houtworm en hij duwde Spijker opzij.

Wilde Sara gaf Houtworm een trap tegen zijn scheen, zodat hij omviel.

'Ladies first, stelletje onbehouwelingen. Laat mij eens kijken.'

Ze boog zich over het gat. Daar lag iets wits. Wilde Sara pakte het vast en trok. Het was een hand. Een witte hand en aan de hand zat een dunne, bleke arm. Uit de aarde kwam een gezicht tevoorschijn. Het had een groene kleur en zat vol barstjes.

Houtworm was overeind gekrabbeld en keek stiekem over Sara's schouder en schreeuwde: 'Help, hier ligt een lijk van een vrouw begraven.'

'Een dijk van een vrouw?' zei Spijker.

'Nee, een lijk, sukkel.'

Op dat moment gingen de ogen in het gezicht open. De vrouw spuugde wat verrotte bladeren uit. 'Goedenavond samen, hebben jullie mijn jongens ook gezien?'

Wilde Sara liet de hand los en gilde harder dan Spijker en Houtworm samen. 'Het lijk leeft!'

In het huis vloog de achterdeur open. Drie gedaantes holden de tuin in. Er volgde ook nog een kat. Verbluft keken de piraten naar de weerwolf, de vampier en de geest.

'Maaa!' schreeuwden ze. 'Maaaa, eindelijk hebben we je

gevonden.'

'Miauw!' zei de kat, maar niemand lette op hem. Ma kwam overeind uit de kuil en schudde de aarde van zich af. Kevers en wormen krioelden in haar lange, zwarte haren.

De drie piraten keken elkaar aan. Toen sloegen ze gillend op de vlucht, de tuin uit, weg van het huis en zijn enge bewoners. Toen ze aan het eind van de straat waren, gilden ze nog. Uren later toen ze terug waren bij hun schip waren ze nog steeds aan het gillen.

'Tjonge, dat was een enge kat,' zei Spijker, toen ze veilig aan boord waren.

'Jimi, Ernst, Lea, wat fijn dat jullie er zijn.'

Moeder Rip omarmde haar kinderen.

'Ik heb jullie zolang niet gezien, liefjes. Ik ben bang dat ik erg lang geslapen heb.'

Jimi Rip knikte. 'We waren je kwijt, ma. We wisten niet waar je was gaan slapen, dus we konden je ook niet opgraven.'

Moeder Rip was een zombie en zij hield er van om geregeld onder de grond te slapen.

'Toen hebben we papa een brief geschreven,' zei Ernst, de vampier. 'Papa vaart nog steeds op zee, als vampiraat, dat weet je wel, hè, ma?'

Moeder Rip knikte. 'Ach ja, mijn lieve Jonathan. Ik heb hem al zo lang niet meer gezien. Hoe zou het…'

Jimi onderbrak haar. 'Niet sentimenteel gaan zeuren, ma. Wij schreven dus een brief naar die ouwe. Ernst schreef hem, want ik kan niet schrijven. Wat stond er ook weer in, Ernst?'

'Pa, help, we kunnen ma niet vinden,' zei Ernst. 'Ze ligt ergens in de tuin begraven, maar wij weten niet waar.'

Jimi knikte. 'Dat stond er.'

'Mag ik nou eindelijk ook iets zeggen?' vroeg Lea, de

doorzichtige zus.

Jimi en Ernst keken elkaar aan. 'Eh…. Nee!' zeiden ze tegelijk.

'Pa stuurde meteen een brief terug,' ging Ernst verder.

'Daarin stond: maak je geen zorgen. Ik stuur wel een paar sukkels die de tuin helemaal omspitten en ma vanzelf zullen vinden. Ik hoop wel dat ze haar hoofd er niet per ongeluk afsteken met een schop.'

Moeder Rip giechelde. 'Wat een lieverd toch, dat hij zo bezorgd is. Maar hoe wist hij zeker dat de sukkels hier zouden gaan graven?'

Ernst glimlachte. 'Omdat ze dachten dat er een schat begraven lag. Dat had onze vader in zijn zogenaamd geheime dagboek geschreven.'

Jimi knikte en grijnsde. 'Het was een complot, ma. Van pa en ons. Pa heeft dat dagboek expres open laten liggen, zodat de sukkels het konden lezen.'

'Nou ik!' riep Lea opeens met een schelle stem. 'Wij wisten dus dat ze zouden komen en hebben ze opgewacht. Ik heb ze binnen gelaten en wij hebben ze stiekem met allerlei aanwijzingen naar de tuin geloodst, waar de schat lag. Goed, hè!'

Moeder Rip knipperde een wormpje van haar wimpers. 'Mijn brave boys en mijn lieve Lea. En die schat, dat was…'

'Dat was jij, ma!'

Moeder bloosde tot ze diepgroen was.

'Ik een schat? Oh, die Jonathan, wat een scheetje is hij toch. En nu is meteen de tuin zo fijn omgespit.'

Ze knuffelde haar drie kinderen nog eens. 'Laten we dan nu maar vlug naar binnen gaan om lekker wat bloeddrankjes te drinken en knabbelbotjes en knisperkootjes te kauwen.'

En dat deden ze, tot het ochtend werd.

Toen kroop moeder Rip terug onder de grond en waren ze haar drie maanden lang weer kwijt....

'Zodoende dus,' zei de voorzitter. De GG-leden knikten instemmend.

'Boten waar je dingen ziet die er niet zijn, deugen niet,' zei de Eeuwige, die met zijn gedachten nog in zijn hut was. 'Moet je nou kijken wat er onder de kooi in míjn hut lag? Hij opende zijn hand en liet een speelgoedbootje zien.'

'Wat heeft dat nou te maken met dingen die er niet zijn?' vroeg Hans van de Waarsenburg gevat, 'dat bootje is er toch?'

De Eeuwige sloot zijn hand en opende hem weer. Het bootje was verdwenen.

'Dat bedoel ik dus. Als ik straks naar mijn hut loop, ligt dat bootje er weer. Dat weet ik zeker, want ik heb het drie keer overboord proberen te gooien. Het kwam steeds terug.'

'Maak daar maar eens een verhaal over,' zei de voorzitter.

'Niet nodig,' zei de Eeuwige. Dat verhaal wist ik op het moment dat ik dit scheepje oppakte. Het was of de GehAd zelf het door mijn oor naar binnen blies.'

'Dat is geen scheepje,' zei Henk van Kerkwijk, 'dat is een sloep.'

'Welnee, een jol,' zei Els Rooijers. 'Maar moeten jullie horen wat er in mijn hut…'

'Niet allemaal tegelijk,' zei de voorzitter streng. 'Els, jij mag als de Eeuwige geweest is. Zeg Eeuwige, welk verhaal kreeg jij ingeblazen?'

Noachs kinderen

door Bies van Ede

Het roeibootje lag in een verzakt boothuis aan de rand van het landgoed.

Arend vond het boothuis op een van zijn ontdekkingstochten. Zijn ouders hadden geen geld voor een echte vakantie, dus hadden ze woningruil gedaan. In hun huis in Amsterdam logeerden nu volkomen vreemden. Arend zat met zijn ouders vlak aan zee, dicht bij bossen en duinen. Veertien dagen dodelijke verveling. Er was in de straat geen kind te bekennen, dus maakte Arend wandelingen in de omgeving terwijl zijn ouders uitsliepen.

Op een ochtend was hij het slootje gevolgd dat hun achtertuin scheidde van een weiland. Hij verwachtte dat het snel zou ophouden, maar daar vergiste hij zich in. Het slootje werd een beekje dat weer overging in een brede sloot die uitmondde op een afwateringskanaal. Arend was nieuwsgierig waar het water naartoe leidde. Het kanaal verdween in een bos waar het langzaam smaller werd, en kwam uit in een bosvijver. Een sluis sloot de vijver af van het kanaal dat een stuk lager lag. De sluis moest ervoor zorgen dat de vijver niet leegliep, begreep Arend.

De vijver was groot genoeg om met een bootje op te varen. Terwijl hij dat bedacht, zag hij in de verte een boothuis, zwart en donkerbruin onder het dichte bladerdek van de oude bomen.

Arend wist niet meer waar hij was, maar dat gebouw wilde hij van dichtbij zien. Hij liep erheen. Het was gebouwd van zwart geteerde planken, maar het hout was vermolmd, er groeiden paddestoelen op en sommige planken waren uit elkaar gevallen.

Een houten steiger stak als een brutale tong uit het boothuis. Onder het scheefgezakte dak, nauwelijks veilig voor regen en wind, dobberde een roeiboot aan een stuk grijs uitgeslagen meertouw. Twee roeispanen dreven in het bodempje water onderin.

Arend bekeek de sloep van een afstand, liep om de bosvijver heen, bekeek de sloep nog eens van dichterbij, liep weg tot hij bij een open plek kwam waar hij het landhuis zag liggen. Hij wist nu gelukkig waar hij was. Daarna ging hij terug naar de sloep.

Na lang aarzelen liep hij de steiger op en bekeek het bootje van dichtbij. In de voorsteven was met zwarte letters een naam gebrand: Arends Jol.

Kijk, dacht Arend. Ze hebben mijn bootje al voor me klaargelegd.

De stilte op het landgoed gaf hem een ongemakkelijk gevoel. De bladeren hingen slap, er zongen bijna geen vogels. Zonlicht en schaduw wisselden elkaar af op het donkere water van de bosvijver.

De boot zag er stevig uit. De lak was een beetje verkleurd en groen uitgeslagen, maar Arend wist zeker dat je er zó mee weg kon roeien.

Hij zette zijn voet op het bankje dat dwars in de sloep stond. De boot wiebelde, Arend verloor zijn evenwicht en deed een stap vooruit, met zijn voet in het lauwe water. Zijn sok en zijn sandaal waren onmiddellijk doorweekt. Een beetje geschrokken van zijn eigen domheid ging hij zitten. Hij had naar áchteren moeten stappen, terug op de steiger.

De roeiboot deinde op het water. Arend inspecteerde de roeispanen. Hoe kreeg je dit bootje naar buiten? Afzetten aan de steiger, natuurlijk.

Hij reikte overboord, pakte een van de steigerplanken

beet en zette af. Al bij de minste beweging brak het meertouw, het bootje kreeg meer vaart dan Arend had verwacht en schoot vooruit.

Arend zat roerloos, met zijn handen om de rand van de sloep geklemd. Het roeibootje voer rechtstreeks naar het hart van de vijver, verloor daar zijn snelheid en bleef dobberen.

Vanuit de boot was het water minder donker dan vanaf de kant. Het was helderblauw en het zonlicht maakte het glashelder. Arend had het gevoel dat hij door een pas gezeemd raam keek. In de verte, nee de diepte, zag hij kinderen. Ze huppelden langzaam en speelden met trage gebaren. Zwevende, engelachtige bewegingen. Arend had het idee dat hij naar een vertraagde film keek.

Een ruk aan de boot. De puntige voorsteven dook omlaag. Nog een ruk.

Arend wist het niet zeker, want het water werd razendsnel ondoorzichtig zwart, maar het leek of de kinderen met z'n allen aan het meertouw rukten dat in het water bungelde. Eén van de kinderen, een jongen van Arends leeftijd kwam zó dicht aan de oppervlakte, dat Arend zijn ogen zag glanzen. Liefdevol, maar ook nog iets anders… Vingertoppen braken door de waterspiegel heen en… Arend reageerde in paniek: hij sprong uit de boot. Zijn T-shirt en korte broek hinderden hem nauwelijks. Met haastige slagen en veel gespat van water was hij in recordtijd aan de oever van de vijver. Er moesten waterplanten in de vijver groeien, want steeds opnieuw was er iets zachts en slijmerigs dat zich stevig aan zijn benen hechtte, alsof het hem wilde tegenhouden.

Terwijl hij zich aan land hees, hoorde hij achter zich een plons, een zuigend geluid en iets dat klonk als het vollopen van een gootsteen. Een echo van een verre stem zuchtte: 'Vissen…'

Toen hij hijgend en druipend in het gras zat, was de vijver leeg. De boot was gezonken.

'Uitgegleden en in de sloot gevallen,' zei Arend toen hij thuiskwam.

Zijn ouders grinnikten, stuurden hem onder de douche en hadden het er niet meer over.

Arend vergat de gebeurtenis minder snel. Hij zag de kinderen in de diepte steeds voor zich, vooral het jongetje dat hem had aangekeken met ogen waarin liefde glansde en... moordlust.

'Er is een boothuis! Ik heb een boothuis gevonden en er ligt een roeiboot in!'

Celine holt voor haar vriendinnen uit naar de bosvijver. 'Hé, en weet je wat gaaf is?'

Op de steiger wacht ze tot Imke en Maartje bij haar zijn. 'Kijk?'

De roeiboot dobbert aan een grijs uitgeslagen meertouw. Er staat een plasje water op de bodem, waar twee roeispanen en wat bladeren in drijven.

Celine hurkt en wijst naar de steven. Met zwarte gebrande letters staat er 'Celine's jol'.

'Kom op, we gaan roeien! Het staat er zelf op, dit is míjn boot.'

De drie meisjes stappen in. Het meertouw breekt door het wilde wiebelen van de sloep en voor ze het weten dobberen ze in het midden van de bosvijver.

Ze lachen en praten tot ze het water glashelder zien worden. Dan zijn ze stil en kijken in de diepte met gezichten die steeds meer vertrekken van angst. Hun kreten, als er aan het meertouw wordt gerukt en de jol kantelt, hoort niemand.

Natuurlijk kwam het uitgebreid in de kranten. Foto's van de drie vermiste meisjes, verslagen van de zoektocht die de politie organiseerde. Speurhonden volgden de geur van de meisjes tot op het landgoed. Bij het boothuis aan de vijver liep het spoor dood. Er werd gedregd in de vijver en soldaten kamden iedere vierkante meter van het landgoed uit. Niets te vinden.

Het was hartje zomer, komkommertijd zoals dat heet, en de krant zat te springen om nieuws. Alles wat de pagina's kon vullen was goed, dus er kwam een uitgebreid artikel over het landgoed.

Arend las het tot hij het bijna kon opzeggen.

Landgoed Vijverberg (zo heette het dus) was ruim tweehonderd jaar oud. Het huis en het park eromheen waren speciaal aangelegd voor een steenrijke bankiersfamilie. De laatste bewoners van het landgoed waren leden van een sekte geweest. Een kleine groep die geloofde dat Jezus op aarde was teruggekeerd.

Vijftig jaar geleden waren ze vertrokken, na de dood van een kind. Het huis was nu bouwvallig, daarom was het streng verboden terrein.

Vijverberg, dacht Arend. De vijver heb ik gezien. Waar zou de berg zijn? Een onweerstaanbare nieuwsgierigheid trok hem naar het landgoed. Hij wilde die onpeilbare diepte in de vijver nog wel eens zien en zich ervan overtuigen dat er geen meerminnen in het water zweefden – of misschien juist wel. Hij ging die middag kijken.

Het huis stond op een verhoging, een soort aarden bult, zag Arend. Trappen leidden langs de steile met gras, struiken en veel onkruid begroeide hellingen naar een breed terras rond het huis. Hij besloot dat dit dan wel de berg zou zijn.

De vijver was afgezet met geel plastic lint, waar om de paar centimeter het woord 'politie' op was afgedrukt.

Het lint wapperde loom krakend in de zwoele bries.

Van waar hij stond, keek Arend recht in het boothuis. Naast de steiger dobberde de sloep aan zijn grijs uitgeslagen meertouw.

Arend keek ernaar en geloofde zijn ogen niet. De sloep was gezonken, hij had het zelf gezien. Had de politie gedregd in de vijver en het bootje van de bodem gelicht? Het was de enige verklaring.

Arend liep naar het boothuis. Hij ging onder de politie-afzetting door en stapte de steiger op.

'Arends Jol'. De letters op het voorplecht waren wazig, streperig, alsof het water ze had uitgewist.

'Blijf van mijn boot af!'

De harde stem was van een jongen die zich verscholen had gehouden op een lage, ver overhangende tak. Hij sprong soepel omlaag, landde op handen en voeten en stond met een paar passen in het boothuis.

'Is dit jouw boot?' vroeg Arend. De jongen was van zijn leeftijd, maar groter en waarschijnlijk ook sterker. Hij keek Arend achterdochtig aan. 'Wat moet je hier? Die linten betekenen dat dit verboden gebied is. Je stuurt het politie-onderzoek in de war.'

'En wat doe jij dan?'

'Ik pas op mijn boot.'

'Iedereen kan wel beweren dat het zijn boot is. Misschien is het wel míjn boot. Mijn naam staat erop.'

De jongen lachte met zó veel overtuiging dat Arend aarzelend vroeg: 'Heet jij dan soms ook Arend?'

'Kijk maar op de jol hoe ik heet.'

Arend draaide zich om. In zwarte gebrande letters stond er 'Karels jol' op de voorsteven. Hij moest er niet erg intelligent uit hebben gezien toen hij de jongen weer aankeek.

'Ben eh, jij Karel?'

'Ja en jij moet uit de buurt van mijn boot blijven.'

Arend keek van de jongen naar de boot. Er stond echt Karels Jol, net zo echt als er eerst Arends jol gestaan had.

'Waarom leg je je boot hier neer? Jij woont toch niet op Vijverberg?'

'Gaat je niet aan,' zei Karel.

Arend wilde hem waarschuwen voor de meerminnen en het zinken van de boot, maar Karels vijandige houding weerhield hem ervan.

'Nou, veel plezier dan maar,' zei hij en liep door het boothuis de steiger af.

Karel bleef staan, breed en sterk.

Toen hij al een flink stuk gelopen had, onder het dichte bladerdek, hoorde Arend een merkwaardig klotsend geluid, een zuigend geplons dat hij meteen herkende. Zonder een minuut te twijfelen draaide hij om en holde terug naar de vijver.

Karel was daar niet meer. Het bootje (de jol, zoals Karel het had genoemd) dobberde aan het meertouw, kalm alsof het er de hele tijd gelegen had. Maar Arend wist waar hij naar kijken moest. In het midden van de vijver was het zwarte water helderblauw. Bladeren en takjes dreven er in cirkels, zoals schuim in de gootsteen ronddraait terwijl het laatste water wegspoelt.

Een luchtbel vormde zich aan de oppervlakte en toen die uiteenspatte hoorde Arend een geluid, een gesmoorde kreet die even boven het water hing en toen oploste in de stilte. 'Vissen...'

Hoewel hij het eigenlijk niet durfde, liep hij naar het boothuis en hurkte bij de jol. 'Arends Jol' stond er in zwarte gebrande letters.

Arend werd vroeg wakker. Zo vroeg, dat de zon nog niet op was en de vogels nog geen geluid maakten. Zijn kamer baadde in een blauw licht. Op zijn wekker zag hij dat het

halfvijf was. Hij ging op de rand van zijn bed zitten, verbaasd over dat blauwe licht. Was het volle maan?

Door een kier tussen de gordijnen zag hij de jol, kalm wachtend op het gladde water van het slootje aan het eind van de tuin.

Hij komt me halen, dacht Arend, de jol komt me halen.

Hij stond op en liep naar het raam, overtuigd dat de sloot leeg zou zijn zodra hij de gordijnen opentrok en goed kon kijken.

Maar de jol lag in het slootje, beschenen door een blauw licht.

Arend schoot zijn kleren aan en ging met zijn sandalen in zijn hand naar buiten. Het gras was koud en nat onder zijn voeten, de nachtlucht was warm en een beetje drukkend. Terwijl hij de jol bekeek, trok hij zijn schoenen aan. In het vreemde blauwe licht kwam het zwart van de letters op de voorsteven scherp naar voren.

O nee, dacht Arend. Hij pakte het meertouw en begon te lopen met de jol als een hondje achter zich aan. Het blauwe licht, dat als een enorme luchtbel om het bootje hing, gleed mee. Waar het beekje overging in het kanaal was een visser bezig zijn hengel in orde te maken. Arend had het gevoel alsof hij vanuit zijn eigen droom de droom van iemand anders binnenliep. De visser, een oude man met enorm borstelige wenkbrauwen en een spitse neus, liet zijn hengel vallen en bleef roerloos staan tot Arend bij hem was. Het meertouw lag opeens strak in zijn hand, alsof de boot niet verder wilde. Het blauwe licht kromp, tot het als een vage gloed rond de jol hing.

'Hoe kom jij aan die boot? Die is niet van jou.'

'Hij heeft me opgehaald,' wilde Arend zeggen, maar hij gaf helemaal geen antwoord toen de oude man bij de voorsteven hurkte en met zijn hand over de letters ging.

'Het is hem echt,' zei hij. Terwijl hij opstond groeide het

blauwe licht weer tot een bol. 'Dit is Noachs jol.'

'Karels jol,' zei Arend. 'En Arends jol.'

De visser keek hem even doordringend aan. 'Ja, en Huibs jol.' Hij kwam overeind. 'Ik ben Huib van de Wal.'

In het blauwe licht kwamen de letters op de jol bijna los van het hout. 'Huibs jol'.

'Ik heb deze jol vijftig jaar geleden laten zinken in de vijver van het landgoed. Hoe heb jij hem boven water gekregen?'

'Niet,' zei Arend. 'Hij was er gewoon. Vastgebonden aan de steiger van het boothuis. En wie is Noach dan?'

'Noach woonde op Vijverberg, vijftig jaar geleden.'

Aan de horizon kwam het eerste scherfje van de zon op. De lucht werd een tintje lichter, het blauw rond de boot werd bleker.

Arend en de visser zaten naast elkaar op de oever van het kanaal.

'Vijftig jaar geleden was Noach net zo oud als jij. Hij woonde hier met nog vijf of zes andere kinderen en hun ouders op het landgoed.'

'Die sekte,' zei Arend.

Huib knikte. 'Je hebt de krant gelezen begrijp ik. Mooi. Weet je iets van de Bijbel af?'

'Beetje,' zei Arend. 'Jezus en zo...'

De man snoof. 'Nou ja, dan weet je in elk geval iets. De groep die hier woonde, noemde zich Noachs kinderen.'

'Hè? Noach was toch juist een van de kinderen?'

'Noach was heel bijzonder,' zei Huib. 'Héél bijzonder. Ze dachten dat hij Jezus was, die terugkwam op aarde.'

'O,' zei Arend. 'En waarom waren zijn ouders dan zijn kinderen?'

'We zijn allemaal kinderen van Jezus,' zei Huib.

'Noach was, zoals dat in de Bijbel heet, een visser naar mensen.'

De zon zette de ochtend in een rood met gouden gloed.

'We moeten de boot terugbrengen,' zei Huib. 'En hem weer laten zinken. Het was Noachs boot.' Hij stond op en pakte het meertouw.

Arend kwam ook overeind. 'Ze zijn toch weggegaan toen er een kind was overleden?' vroeg hij. 'Was dat Noach?'

De visser knikte. 'Noach was de laatste. Voor Noachs kinderen was er geen reden meer om te blijven toen hun verlosser was doodgegaan. Ze verlieten het huis. De groep viel uit elkaar.'

'Wat was er dan gebeurd met Noach?'

De visser keek naar de jol die soepeltjes achter hen aan gleed. 'Verdronken,' zei hij, 'toen hij over het water probeerde te lopen.'

Arend wilde grinniken, maar het klonk zó ernstig dat hij zich inhield. Ze bereikten de rand van het landgoed. Hier werd het kanaal snel smaller. De boot schuurde aan beide zijden langs de kademuren.

'Dus hij was toch niet Jezus?' zei Arend. Hij probeerde niet spottend te klinken want hij had het idee dat de visser alles wat hij verteld had serieus nam. Héél serieus.

'Ze gingen niet weg toen Noach verdronk,' zei hij bijna in zichzelf. 'Ze gingen pas toen de andere kinderen één voor één verdronken in de bosvijver.'

'Alle kinderen verdronken?' vroeg Arend.

De man gaf geen antwoord. Voor hen lag de sluis die de bosvijver van het kanaal afsloot.

'We zullen moeten tillen. Help je mee?'

Samen hesen ze de boot aan wal, trokken hem door het gras naar de vijver en lieten hem daar weer te water.

Het was een flinke klus die ze zwijgend klaarden. Toen ze bezweet naast elkaar stonden, prikte de zon door de bladeren. Vogels begonnen te zingen.

Huib keek Arend aan. 'Ik zal mijn werk van vijftig jaar

geleden opnieuw moeten doen,' zei hij. 'Hopelijk doe ik het ditmaal beter.'

Hij stak zijn hand in het water van de vijver. 'Het is lauw. Mooi. Als ik ergens een hekel heb, is het aan koud water in je kleren.'

'Wat gaat u doen?'

'De boot weer laten zinken. De vijver is hier niet diep genoeg, ik trek hem naar het midden, laat hem kapseizen en hoop dat hij nu wél voorgoed op de bodem blijft liggen.' Hij stapte de vijver in en gaf de boot een zetje.

'Waarom laat u hem zinken?'

Huib glimlachte droevig. 'Ze dachten dat Noach de nieuwe Jezus was. Waarom hij? Waarom mocht hij de visser naar mensen zijn en ik niet? Hij durfde niet eens op het water te lopen. Ik bleef maar tegen hem zeggen: probeer het, laat zien wat je kunt!'

Hij begon de jol naar het midden van de vijver te duwen. 'We waren even oud,' zei hij. Zijn stem weerkaatste op het water. 'Precies even oud. Op dezelfde dag geboren. Waarom mocht híj de visser naar mensen zijn?'

De vijver was inderdaad ondiep, het water kwam niet verder dan zijn heupen.

Heb ik me zo vergist?, dacht Arend. Was dat onpeilbaar diepe water met de zwevende kinderen gezichtsbedrog?

'Weet u zeker dat je in de hele vijver kunt lopen?' riep hij.

De visser keek over zijn schouder. 'Vorige keer heb ik de boot net zo laten zinken. Toen was ik natuurlijk iets kleiner dan nu, maar het lukte net. Diep is het niet...' Hij grinnikte en zijn stem echode over het water. 'Hij kon niet eens op het water lopen! Hij was net zo min de visser naar mensen als ik. Niks de nieuwe Jezus.'

'Dus u was ook van de sekte,' vroeg Arend een beetje gegeneerd dat hij het nu pas snapte.

Huib van de Wal gaf geen antwoord, want een plotselinge golf ontstond in het midden van de vijver. Het water was er opeens glashelder. Vanaf de kant zag Arend de kinderen zweven. Drie meisjes die elkaar bij de hand hielden, jongens die elkaar achterna leken te zitten. Eén van die jongens herkende hij. Het was... nee... nee, hij moest zich vergissen.

De visser was geschrokken blijven staan. Hij keek in het water en schreeuwde: 'Nee, jij bent hier niet! Blijf van me af! Ga weg Noach!'

Twee handen verschenen boven het water. Huib sloeg ernaar, maar de handen kwamen dichterbij. Plotseling, razendsnel als een aanvallende snoek, schoten de handen omhoog en klemden zich om de schouders van de man.

'Vissen...' zuchtte een onaardse stem. 'Vissen naar mensen.'

Huib worstelde, hij greep zich vast aan de boot. Niets hielp. Hij werd omlaag getrokken, steeds dieper het water in.

Arend keek roerloos van afschuw toe. Toen hij zag dat de man de strijd ging verliezen, wist hij opeens wat hij moest doen. Met al zijn wilskracht zette hij zijn voeten in beweging en holde naar de sluis.

Het draaiwiel gaf bij zijn eerste twee rukken niet mee, maar toen draaide het verrassend soepel. Zwaar, maar soepel. De houten sluisdeur ging langzaam omhoog. Arend draaide als een bezetene en hield zijn ogen afwisselend op het water voor hem en het midden van de vijver gericht.

De visser was zichtbaar aan het eind van zijn kracht.

Nog sneller draaien.

Toen Arend even in het water bij de sluis keek, zag hij het grijnzende gezicht van Karel.

In het midden van de vijver ging de jol onder met dat zuigende geluid van een emmer die razendsnel volloopt. De

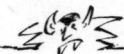

oude visser en de jol waren onder water verdwenen.

Arend wendde zijn gezicht af en bleef draaien. Het moet lukken dacht hij. In een lege vijver kun je niet verdrinken.

Een halfuur later stond hij bij de modderige kuil met op de bodem een ondiepe plas water waarin wat bladeren dreven. Meer was er niet. Geen kinderen, geen visser en geen jol. Niets dan stinkende modder en bruine slierterige waterplanten. Ze waren niet met het water door de sluis meegespoeld, dan had hij ze gezien. Ze waren er gewoon niet. Waren ze er ooit geweest? Hij liep naar huis in een wereld waar de zomerzon scheen maar waarin schaduwen hem op de voet volgden.

In oktober, toen de herfstregens de vijver weer gevuld hadden, dreef de jol weer kalm op het water in het boothuis.

'Wat ik in mijn hut gezien heb...' Els Rooijers huiverde, schoof naar het puntje van haar stoel en gebaarde de mannen van het GG om dicht om haar heen te komen zitten.

'Hier begon het mee.' Ze haalde een hoed te voorschijn die ze tot nog toe onder tafel had gehouden.

'Dat is mijn hoed!' riep de Eeuwige verontwaardigd 'Gatver! Je hebt erin gekotst.'

'Sorry Eeuwige, ik was nogal misselijk. Zeeziek noemen ze dat. Ik kon het niet binnen houden. En jouw hoed kwam net over de hellende bodem in mijn richting schuiven.'

'Je kotst toch niet in een hoed! Weet je hoe oud dat ding is?'

'Zeur toch niet zo over dat lor. Kijk er liever in. In het braaksel kan je namelijk een gezicht herkennen. Het is het gezicht van Jaco de vampierslachter.'

'Ik zie alleen maar half verteerde insectenpoten,' zei Henk van Kerkwijk die het als enige waagde om de inhoud van de hoed wat nader te bekijken. De andere leden bleven wat bleekjes op afstand.

'Toen Jaco elf jaar was,' begon Els terwijl ze de opmerking van Henk wegwimpelde, 'werd hij door zijn oma als jongste bemanningslid meegegeven aan een kapitein.'

Jaco, de vampierslachter

door Els Rooijers

'Oma, ik wil niet met die boot mee,' zei Jaco op de kade met tranen in zijn stem. 'Ik wil bij u en bij Jaap en Tom en mijn andere broertjes en zusjes blijven.' Oma gebaarde hem te zwijgen en sprak verder met de kapitein.

Jaco staarde naar het vlezige gezicht van de kapitein. Zijn groene ogen gingen schuil achter zijn gezwollen oogleden en vanaf zijn neusvleugels liepen diepe groeven naar zijn zwarte baard. Aan zijn oorlellen hingen gouden doodskoppen en op zijn armen stonden tatoeages van vrouwen en mannen die leken te schreeuwen.

'U zorgt toch wel dat hij gezond weer terugkomt?' vroeg oma terwijl ze een bundeltje bankbiljetten in ontvangst nam.

'Natuurlijk, mevrouw. Tenzij de zee hem te grazen neemt.' De kapitein lachte zo hard dat de doodskoppen aan zijn oorlellen heen en weer zwaaiden. Zijn buik, gestoken in een groezelig, gestreept shirt, golfde op en neer. Maar het ergste van alles was zijn gebit.

'Mijn god!' mompelde Jaco terwijl zijn ogen zich vastzogen aan twee snijtanden die als messen boven de rest van het brokkelige gebit uitstaken. 'Daar zijn de tanden van een haai een melkgebitje bij!' En hoewel het een kille ochtend was, brak het zweet Jaco uit.

Hij stootte zijn oma aan. Als ze die tanden zag, zou ze hem zeker weer mee naar huis nemen. Dan zou ze wel een andere manier verzinnen om aan geld voor eten te komen. Maar oma was zo druk met het natellen van de bankbiljetten dat ze het niet eens merkte.

'Hij is wel mager, mevrouw,' zei de kapitein terwijl hij zijn hand als een notenkraker in Jaco's nek legde. 'Een garnaal heeft nog meer spek op zijn lijf. Daar zal ik wat aan moeten doen. Want zo kan ik hem niet aanbieden.'

'Aanbieden aan wie?' vroeg oma opeens oplettend. Ze keek de kapitein argwanend aan.

'Aanbieden? Zei ik aanbieden?' De kapitein schudde zijn hoofd en trok een onnozel gezicht. 'Hoe kom ik daar nou bij? Ik bedoel natuurlijk aankleden. Hij moet eruitzien als een bemanningslid. Maar als hij zo mager is, zal alle kleding om zijn lijf slobberen.'

Hij wendde zich tot Jaco. 'Kom garnaal, ik ga je laten zien waar de emmer en de bezem staan. De komende weken wordt het hard werken.'

'Hou je haaks, Jaco!' Oma drukte hem stevig tegen zich aan. 'Het spijt me,' zei ze zacht in zijn oor. 'Je weet toch dat ik geen keus heb? Ik heb het geld nodig om voor je broertjes en zusjes te zorgen. Anders komen ze nog om van de honger.'

Jaco kreeg een brok in zijn keel en knikte alleen maar.

'Heb je het popje bij je?' fluisterde oma. Weer knikte Jaco. Hij was niet in staat om iets te zeggen.

'Gebruik het! Zodra iemand je lastigvalt, steek je de naald in het popje. Maar laat het aan niemand zien. Anders wordt het nog gestolen!'

'Zijn we al uitgeknuffeld?' vroeg de kapitein. 'Het lijkt verdorie wel of ik een meid meekrijg.' Hij pakte Jaco ruw bij zijn arm en trok hem mee.

Oma veegde een traan van haar wang, draaide zich om en liep met snelle passen de kade af.

Jaco kreeg een zwabber, een boender en een emmer in zijn handen gedrukt en moest drie dagen lang het oude en smerige schip schrobben.

Ondertussen werd er bevoorraad. Kisten vol met rollen beschuit en flessen water werden aan boord gebracht.

'Moeten we voor dat joch niet wat anders meenemen?' vroeg Matroos aan de kapitein. Matroos was het enige andere bemanningslid aan boord. Hij had zich met de kapitein teruggetrokken in de stuurhut. Jaco had de mannen overdag nog niet aan dek gezien.

'Die knul is zo mager als een stokvis,' zei Matroos. 'En mager smaakt zuur. Daar krijg je een straffe bek van, dat weet jij ook.' Matroos stak zijn dolk in de richting van Jaco die opgehouden was met schrobben en met gespitste oren het gesprek volgde.

'Doorwerken jij!' snauwde Matroos. 'Sta niet als een oud wijf te luistervinken!' Toen richtte hij zich weer tot de kapitein.

'Zo'n gratenpakhuis kunnen we niet aanbieden. Het humeur van de graaf is dan meteen verpest. Hij heeft sappige kinderen nodig. Kinderen die je al van verre ruikt en die lekker zoet smaken.' Matroos likte zijn lippen af. Bij de kapitein liep het water in de mond en hij knikte instemmend.

En dus werden de volgende dag nog een paar kisten aan boord gebracht. Ze zaten vol met chocola en snoep en zelfs aan fruit was gedacht. Vanaf dat moment bestond het eten van Jaco uit allerlei lekkernijen. Verscholen in een hoekje van de kombuis schrokte hij het naar binnen.

's Avonds kroop hij doodop in zijn eenzame kooi in het ruim. In het donker haalde hij het popje onder zijn kiel vandaan en drukte het dicht tegen zich aan. Hij dacht aan zijn oma en broertjes en zusjes die hij vreselijk miste. Ook gingen de woorden van Matroos door zijn hoofd. Gratenpakhuis, zuur bloed, wat bedoelde hij daarmee? En net als de kapitein sprak Matroos over aanbieden. Wat wilden die kerels toch met hem? Maar toch viel hij algauw in een diepe slaap. Want voor het eerst in maanden was zijn maag flink gevuld.

De volgende ochtend kwamen in alle vroegte de eerste passagiers aan boord. De zon was nog niet op en de donkere kade was gehuld in nevelslierten.

Jaco moest benedendeks blijven om daar de vloer te dweilen. Af en toe stak hij zijn hoofd door het luik van het ruim. Hij zag hoe de kapitein zijn pet afnam en beleefd boog voor de dames en heren die vanaf de loopplank het dek op stapten. De kapitein was gekleed in een donkerblauw jasje met gouden strepen en glimmende knopen. Zijn baard en snor waren geknipt en in zijn broek zat een vouw.

Er klonken kinderstemmen vanaf de kade en voetstappen haastten zich langs de loopplank omhoog. Jaco stak zijn hoofd zo ver buiten het luik als hij durfde. Een dikke jongen en een meisje stapten aan de hand van hun vader de boot op.

'Welkom aan boord van De Zonnewende,' zei de kapitein. Hij deed zijn uiterste best om keurig te praten, hoorde Jaco. De ogen van de kapitein vlamden hongerig terwijl hij naar de jongen keek. 'Ik ben kapitein Koudbloed.'

'Willemse,' stelde de vader zich voor. 'En dit zijn mijn zoon Gijs en mijn dochter Floor.'

Op dat moment grepen twee handen Jaco bij zijn enkels vast en trokken hem naar beneden. Hij bonkte met zijn romp en armen langs de steile traptreden. Hardhandig werd hij bij zijn schouders gepakt en omgedraaid.

'Zo garnaal, wat had de kapitein tegen jou gezegd?' Het bleke gezicht van Matroos hing pal voor hem. Hij schudde Jaco heen en weer.

'Dweilen, moet je!' Even trok Matroos zijn bovenlip op en twee scherpe hoektanden werden zichtbaar.

Machtig Mina! Jaco's hart schoot in zijn keel. Nog zo'n figuur met slagtanden! Zijn hand kroop naar zijn broekzak. Hij wilde de naald in het popje steken. Het kon hem niet schelen waar. Als die kerel hem maar losliet. Maar wat als Matroos hem door had en het popje af zou pakken? Met moeite wist Jaco zich te beheersen.

'Het spijt me, Matroos,' zei hij zacht.

De fletse ogen van de man stonden tevreden terwijl hij naar het parelende zweet op Jaco's voorhoofd keek.

'Trossen los!' bulderde de kapitein vanaf het dek.

Matroos duwde Jaco voor zich uit door het luik naar boven. 'Aan het werk! Jij haalt de trossen binnen en snel!'

Terwijl Jaco de zware touwen binnenboord sjorde, hees Matroos de zeilen. De afstand tot de kade werd snel groter. Het zeildoek klapperde en de spanten van het schip kraakten. Weldra waren de pakhuizen op de kade in de mist verdwenen.

De kapitein stond aan het roer terwijl Matroos de passagiers hun hutten wees. Het schip gleed tussen de donkere havenhoofden door en deinde op de zwarte golven.

'Alle landrotten aan dek!' schreeuwde de kapitein en bonkte op de deur van de dichtstbijzijnde hut.

Algauw stonden de passagiers verzameld om de kapitein. Met grote ogen keken ze toe hoe hij zijn jasje begon los te knopen en zijn pet in zee wierp.

'Garnaal, hijs de vlag!' brulde hij terwijl hij zijn jasje over de reling slingerde en genotvol aan zijn blote buik krabde.

'Dit schip,' zei hij terwijl hij onheilspellend met zijn ogen rolde, 'heet vanaf nu De Bloedvaart'. Hij draaide zich om en wees in de richting van de vlag. Een kreet van afschuw klonk. Vol ontzag keken de passagiers naar een tatoeage op de rug van de kapitein. Een valse vampierskop grijnsde hen aan. Met genoegen spande de kapitein zijn rugspieren en liet zijn schouders rollen waardoor de vampier zijn muil opende en weer sloot.

Er ging een rilling over het dek en de dames klampten zich vast aan hun echtgenoten.

'Wat heeft dit te betekenen?' vroeg meneer Willemse op kwade toon. 'Ik heb een reis geboekt op de Zonnewende en niet...'

'Kop dicht!' snauwde de kapitein die zich met een ruk omdraaide. 'Of ik timmer een makreel in je strot.'

'Nu moet u eens goed luisteren,' begon meneer Willemse terwijl hij een stap naar voren deed en vuurrood aanliep.

'Afvoeren die handel!' beval de kapitein. 'Douw die opgeblazen roodbaars maar in een kast en zijn dochter in het ruim. De jongen mag in mijn hut.' Jaco zag de kapitein slikken, alsof hij honger had.

De andere passagiers tuurden naar de punten van hun schoenen terwijl meneer Willemse met een mes op zijn keel door Matroos werd afgevoerd. Floor gaf hij een trap onder haar achterwerk zodat ze voorover het ruim in viel. Ondertussen werd Gijs door de kapitein naar zijn hut gebracht.

'Garnaal!' brulde de kapitein. 'Breng dit suikerzoete ventje zoveel chocola als hij eten kan. En geef die meid ook maar een flinke portie.'

Jaco had net de naald in het popje willen steken. Die rotzak van een Matroos! Hoe durfde hij dat meisje zo te schoppen! Jaco zou hem een steek in zijn kont bezorgen die hem de rest van zijn leven zou heugen. Maar nu de kapitein hem riep, borg hij het popje snel op en kwam achter de mast vandaan.

Hij liep naar de kombuis en laadde een bord vol met repen, bonbons en schuimpjes.

'En dan nu de regels,' blafte de kapitein tegen de passagiers die als een stel dooie vissen in de mistige ochtend op het dek stonden.

'Alles wat van zilver is, hier inleveren. Dan je bloedgroep opschrijven in dit boek en daarna als de sodemieter oprotten naar je hut.'

Jaco ging de hut van de kapitein binnen en zette het

bord met snoep voor Gijs neer. Angstig schoof de jongen bij hem vandaan.

'Voor mij hoef je niet bang te zijn,' zei Jaco terwijl zijn ogen door de hut gleden. Het was er één grote bende. Overal slingerde vuile kleding rond, op de grond lagen verkruimelde beschuiten en kapotte flessen.

Alleen in de kast stond een rijtje keurig geordende boeken. *Vampierhandboek 1* en *2* en het *Necronomicon*, zag Jaco. Ook lag er een zwartgeblakerde brief. Snel begon hij te lezen.

UITNODIGING
Extra internationale GRIEZELDAG

Graaf Gruwel tot Griezel te Engeland zal op vrijdag de 13e bij volle maan zijn vereeuwnacht vieren.
Om u te plezieren zullen er 200 kinderen om middernacht op het landgoed Gruwelstein losgelaten worden voor een nachtelijke drijfjacht. Zorg dus dat u allen in een bloedstollende conditie bent, uw tanden geslepen zijn en uw maag leeg.
De Graaf zou het zeer op prijs stellen als iedere deelnemer een paar zoetgeurende kinderen aanlevert.

Uw bloedhoogachtende,
Graaf Gruwel tot Griezel

'Allemachtig!' fluisterde Jaco terwijl hij de brief liet zakken. Het duizelde in zijn hoofd. Een drijfjacht... 200 kinderen... Als vanzelf gleden zijn ogen naar Gijs die van ellende het ene stuk chocola na het andere naar binnen schrokte.

'Laat dat!' zei Jaco scherp. 'Eet niets, zorg dat je mager wordt. Hoe dunner, hoe beter! Des te langer zul je leven.' Snel glipte hij de hut uit.

De passagiers stonden in een lange rij die eindigde bij een tafel waar de kapitein achter zat.

'Imbeciele kwallenkoppen!' schold de kapitein. 'Zilver zei ik, dat moet je inleveren. Goud moet ik niet!' Hij zat achter een groot boek en had een pen in zijn hand. Naast hem op tafel lag een pistool.

'Bloedgroep?' snauwde hij tegen een lange vrouw.

'A.'

'Hutnummer?'

'Zes.'

'En opzouten!' zei de kapitein terwijl hij een hoofdletter A en het cijfer 6 in het boek schreef.

Zodra de vrouw in haar hut was, draaide Matroos de deur achter haar op slot.

Algauw was het dek verlaten. De kapitein spuugde vol afschuw in de kist met zilver, deed hem dicht en smeet hem met een plons in de golven.

Matroos stond over het boek gebogen en bestudeerde likkebaardend de bloedgroepen.

'Van alle smaken wat,' riep hij naar de kapitein. 'Ik kan bijna niet wachten. Ik kan geen beschuit meer zien.'

'Het wordt een bloederige overtocht!' lachte de kapitein.

Jaco's knieën begonnen te knikken. Met moeite hield hij zich aan zijn bezem staande. Sukkel dat hij was! Waarom was hij niet meteen gevlucht? Nu kon hij geen kant meer op! Overal klotste het grauwe water om hem heen.

'De zon komt door de mist heen, kapitein,' zei Matroos spijtig. 'Tijd om te gaan pitten. Het feest zal moeten wachten.'

'Maar vannacht wordt het bijten en zuigen! Knabbelen en slobberen, slurpen en...' Er spetterde nu zoveel slijm uit de mond van de kapitein dat Jaco hem niet meer kon verstaan. Maar de boodschap had hij goed begrepen...

'Garnaal, neem het roer over! En geen geintjes. Van iede-

re klapper die het zeil geeft of iedere golf die vanuit een andere richting tegen de boeg slaat, word ik wakker.'

De hele dag stond Jaco eenzaam aan het roer. Een dichte mist, waar slechts af en toe een waterig zonnetje doorheen brak, hing om boot.

Pas toen het donker was, kwam Matroos aan dek.

'Breng water en beschuit naar de hutten,' beval hij terwijl hij het roer overnam. 'Voor jou en de kinderen is er snoep. Geef een flinke berg. Daarna wil ik je niet meer zien.'

Hoewel Jaco vreselijke honger had, at hij geen hap. Hij wilde niet dikker worden. Hoe zuurder zijn bloed, hoe beter het was.

'Je hoeft niet bang voor mij te zijn,' fluisterde hij tegen Floor die in elkaar kromp van angst toen hij haar kant op keek. 'Echt niet. Ik hoor niet bij die kerels.' Hij gaf Floor een stuk chocola met grote hazelnoten en keek naar de schaafwonden en de dikke bult op haar gezicht.

'Meer dan dit mag je niet eten,' zei Jaco. 'Anders wordt je bloed te lekker. Dan ruiken ze je tijdens de drijfjacht meteen. Dan heb je geen schijn van kans. Die kerels zijn namelijk vampiers. De volwassenen zijn hun maaltijd voor onderweg en wij...' Jaco schudde verbijsterd zijn hoofd. Hij kon het zelf maar nauwelijks geloven. 'Ik heb hun tanden gezien,' fluisterde hij. 'Gruwelijk, zo scherp...' Hij keek Floor met bange ogen aan. 'Ze willen de kinderen midden in de nacht loslaten en gebruiken voor een drijfjacht.'

Floor staarde hem lijkbleek aan. 'Een drijfjacht?' vroeg ze hees. 'Je bedoelt, dat wij... het wild zijn?'

Vanaf het dek klonk gestommel en geschreeuw.

'Laat me los!' klonk een angstige vrouwenstem.

'Maak je niet druk, lange vishengel,' klonk de sussende stem van Matroos. 'Een bezoek aan de tandarts is erger. Het is zo achter de rug. Je voelt er niets van.'

'Bloedgroep A?' vroeg de kapitein ongeduldig.

'Ze gaan aan de maaltijd!' zei Jaco. Vlug klom hij samen met Floor naar het dek en daar verscholen ze zich achter een berg touw. Het dek was feestelijk verlicht met rode lantaarns. Jaco haalde het popje en de naald uit zijn zak.

'Een voodoopopje,' fluisterde hij in Floors oor. 'Daar kan je je vijanden mee kwellen. Hopelijk lukt het me om ze van het eten af te houden.'

Matroos, die een lange zwarte mantel droeg, hield een lange vrouw stevig vast terwijl de kapitein de haren uit haar nek veegde. Hij gleed met zijn vingertoppen langs haar huid en keek er verlekkerd naar. Even smakte hij met zijn lippen. Ook de kapitein droeg een zwarte cape en zijn haar had hij met gel naar achteren geplakt.

'Schiet toch op, kapitein!' spoorde Matroos hem aan. 'Ik wil ook mijn tanden in een sappig nekkie zetten. Ik barst van de honger! Die uit hut negen lijkt me zo lekker!'

De kapitein knoopte een servet om en boog zich over de vrouw heen. Snel stak Jaco de speld in de nek van het popje en keek strak naar de kapitein. Maar er gebeurde niets! De kapitein leek er niets van te voelen. Zijn mond ging wijd open en zijn vlijmscherpe snijtanden werden zichtbaar. In paniek keek Jaco naar de vrouw terwijl hij zenuwachtig de naald in het popje ronddraaide.

Meteen slaakte de vrouw een ijselijke kreet. Haar hoofd schoot omhoog en beukte tegen het gezicht van de kapitein die net toe wilde happen.

'Goorgloeiende guppendrab!' schreeuwde de kapitein. Hij drukte beide handen tegen zijn mond en een vlaag van woede trok over zijn gezicht. 'Waardeloos stuk vreten! Kan je dat tyfuswijf niet beter vasthouden!' De kapitein spuugde een straaltje bloed uit en een tand viel op het dek.

'Fantastisch!' fluisterde Jaco. Vol bewondering keek hij naar het popje en trok de naald eruit.

'Sorry, kapitein. Dat was een foutje. Ik wist niet dat die

vrouw zo sterk was. Nu heb ik haar echt goed vast.'
Matroos stond over de vrouw gebogen en drukte haar
hoofd hardhandig op het tafelblad. 'Schiet op, kapitein, je
maaltijd ligt klaar.'

De kapitein voelde aan het gat in zijn mond. Eén snijtand was verdwenen. Aarzelend stapte hij op de vrouw toe.

Jaco stak de naald in het bovenbeen van het popje en
keek naar Matroos die wijdbeens boven de vrouw stond.

'Hoe kan dat nou!' fluisterde Jaco zenuwachtig. 'Er
gebeurt niets. Het lijkt wel of het popje niet werkt bij vampiers.' Hij keek naar de vrouw die zich in allerlei bochten
wrong en duwde de naald wat dieper in de stof.

Meteen schreeuwde de vrouw het uit en sloeg haar been
zo hard naar achteren dat hij midden in het kruis van
Matroos terechtkwam. Met een luide jodelkreet liet
Matroos haar los. Bokkend als een rodeostier rende hij over
het dek terwijl hij met beide handen zijn kruis vasthield.

'Geweldig!' fluisterde Floor met glinsterende ogen. Ze
had een blos op haar wangen. 'Snel! Nu is de kapitein weer
aan de beurt.'

Jaco stak de speld in de bovenarm van het popje en keek
naar de kapitein. Maar weer gebeurde er niets.

'Ik snap er echt geen snars van,' zei hij.

'Ik wel!' fluisterde Floor triomfantelijk. 'Vampiers moet
je met zilver bestrijden. Je moet een zilveren pin hebben.'

'Natuurlijk!' zei Jaco. 'Daarom heeft de kapitein al het
zilver over boord gegooid! Hij is er doodsbang van.' Vol
bewondering keek hij Floor aan.

'Au!' schreeuwde ze. Haar arm schoot omhoog. Jaco kon
nog maar net op tijd wegduiken anders had hij een klap in
zijn gezicht gehad.

'Het spijt me vreselijk!' Geschrokken trok hij de naald
uit het popje.

De kapitein had zijn hoofd opgericht en sloop langzaam

in hun richting.

'Hij komt eraan!' fluisterde Jaco bang.

Zenuwachtig probeerde Floor een broche van haar jurk te halen.

'Zure zeepokken!' schold de kapitein toen hij de kinderen ontdekte. 'Wat doen jullie aan dek?' Zijn oog viel op het popje in Jaco's hand. Hij staarde er zo dom naar dat het leek of zijn hersenpan van oor tot oor met kwallendril gevuld was. Zijn dikke oogleden knepen samen en langzaam drong de betekenis van het popje tot hem door.

'Alle haaien nog aan toe!' stamelde hij. 'Dus jullie doen het! Jullie laten dat mens van die rake klappen uitdelen. Door jullie ben ik mijn prachtige snijtand kwijt!' Hij sprong naar voren en greep Jaco beet. 'Dat zal je berouwen, garnaal!' Zijn vingers hielden Jaco's arm in een ijzeren greep. 'Ik bijt je zo lek als een visnet.' Hij boog zich naar Jaco's nek over en opende zijn mond. Jaco kneep zijn ogen dicht en voelde hoe één snijtand zich in zijn huid probeerde te boren.

Floor sprong naar voren en duwde met kracht de zilveren pin van haar broche in het popje. Ze keek de kapitein strak aan terwijl ze de pin dieper en dieper in de hartstreek van het popje joeg.

De ogen van de kapitein werden groot van ongeloof, zijn mond ging open, hij gorgelde en liet Jaco los. Hij drukte zijn handen tegen zijn borst, kromp in elkaar en strompelde naar de reling. Een kramp trok door zijn lijf, hij klapte dubbel over de reling en sloeg overboord.

'Kapitein!' riep Matroos geschrokken. Hij kon net weer een beetje rechtop staan en strompelde naar de reling.

'Koudbloed!' riep hij terwijl zijn ogen in paniek het deinende wateroppervlak afzochten.

'Wat doen we met hem?' vroeg Jaco.

'Een schop tegen zijn achterwerk. Tien keer zo hard als

hij bij mij gedaan heeft!' zei Floor. Haar gezicht stond grimmig. Ze hield het popje in de lucht. Haar hand met erin de naald bracht ze naar achteren. Ze haalde diep adem, joeg toen met kracht de naald in de billen van het popje en keek meteen naar Matroos.

'Waauuw!' brulde Matroos. Hij vloog wel een meter van het dek af en verdween in de diepte. Eén moment bleven Jaco en Floor als betoverd staan. Toen renden ze naar de reling en zagen nog net Matroos met een van pijn vertrokken gezicht watertrappelend in de golven.

'Eigen schuld,' zei Floor. Ze voelde aan de bult op haar voorhoofd. 'Smerige bloedzuigers zijn het!' Jaco keek Floor trots aan. 'Wij zijn echte vampierslachters.' Hij greep het roer en draaide om rechtsomkeert te maken.

Toen Els was uitgesproken, keek de voorzitter peinzend voor zich uit. 'Kapiteins, matrozen en vampiers... Els, er zit een verborgen boodschap in jouw verhaal. Ik weet alleen niet welke. Het heeft iets met dit schip te maken, maar ik weet niet wat.'

'Verborgen boodschappen?' zei Jaques Weijters die uit het niets opdook. 'Ik heb zo'n vaag vermoeden dat wij ook in een verhaal zitten. En als dat zo is, is dat verhaal dus écht. Begrijpen jullie wat ik bedoel?'

Iedereen schudde eendrachtig het hoofd.

'Ik vertel het straks wel,' zei Jaques en was het volgende ogenblik weer afwezig.

Aan de Eeuwige was dit allemaal voorbijgegaan. Hij staarde nog steeds somber naar zijn hoed en mompelde: 'Dit is een echte Borsalino. Een échte...'

Eddy C. Bertin rolde een vers sigaartje tussen zijn vingers en zei toen: 'Ik wilde Paul net vertellen dat er in mijn hut merkwaardige dingen gebeuren. Ik ging even een patrijspoort openzetten omdat ik hard aan twee sigaartjes toe was... maar het leek wel of iets me naar het tafeltje dwong. Iets zwaars duwde me omlaag in de stoel. Mijn rechterhand handelde uit zichzelf. Die greep pen en papier en begon te schrijven. Ik schreef en schreef... dit logboek uit de hel!' Hij wapperde met een pakje volgeschreven blaadjes.

'Niet voorlezen!' zei Tais Teng haastig. 'De hel, dat is me veel te warm!'

'Doe maar wel,' zei de voorzitter. 'Misschien helpt het mijn gedachten op het goede spoor te zetten.'

Logboek uit de hel

door Eddy C. Bertin

15 november 1872

Dit het Logboek van Tobias Ginsborough, tien jaar oud, scheepsknecht aan boord van de DEI GRATIA. We zijn net vertrokken uit de haven van New York en op weg naar Gibraltar. Dit is mijn eerste verre tocht over zee, op een groot zeilschip. Iedereen noemt me gewoon Toby.

5 december 1872

We zijn voorbij de Azoren en naderen Portugal, maar nog in volle zee. Een ander schip kwam in zicht. Een grote schoener, een koopvaardijschip. We luidden de scheepsklok want de schoener kwam recht op ons toe. Toen zag ik iets vreemds: maar twee zeilen waren gezet, de andere flapperden. De schoener maakte kantelende bewegingen.

'Wat bezielt die lui?' vroeg ik aan een matroos.

'Ze zijn niet goed snik, Toby,' zei hij. 'Bij een plotse windstoot kunnen ze kapseizen, hun zeilen zijn niet aangespannen.'

'Waar zijn ze trouwens?' vroeg een andere matroos. 'Op zo'n schoener moeten minstens twaalf man zijn, maar ik zie niemand.

MARY CELESTE las ik op de boeg van het schip, en daaronder *New York*.

Onze stuurman veranderde van koers om een aanvaring te vermijden. We kwamen langs bakboord van de Mary Celeste. Kapitein Moorehouse gebruikte de scheepshoorn: 'Ahoy, Mary Celeste! Dit is de Dei Gratia. Is daar iemand aan boord?' Niemand reageerde of liet zich zien.

De zee werd plots woester. De heftige wind zweepte de golven op. De Mary Celeste maakte gevaarlijke bewegingen. 'Er staat niemand aan het stuur,' hoorde ik de kapitein roepen. 'Dat is niet pluis. We kunnen beter gaan kijken.' De bootsman noteerde de preciese ontmoetingsplaats, gegevens die de kapitein later in het logboek zou overschrijven: 30°20' Noorderbreedte, 17°15' Westerlengte. 'Erg belangrijk voor de eventuele berging,' zei hij.

Ik rilde. Het was alsof de Mary Celeste een ijzige adem over de zee naar ons blies.

Kapitein Moorehouse bleef aan boord. Bootsman Davros en drie matrozen, Kelly, Benjo en Karel, voeren met een sloep naar de Mary Celeste. Ik zeurde net zo lang tot ik ook meemocht. De wind was zo woest dat het twee uren duurde voor we het schip bereikten. De golven stuwden ons steeds weg van het schip. Even vreesde ik dat onze sloep tegen de boeg van de Mary Celeste te pletter zou slaan. Toen slaagde Davros erin ons vast te haken aan de vangtouwen. Ik keek omhoog naar de zwijgende romp die boven ons heen en weer deinde. Dat akelige koude gevoel in mij werd sterker. Waarom kwam niemand ons begroeten?

Kelly bleef in de sloep. Ik volgde Davros en de anderen. We klommen langs de touwen omhoog. Het was een hachelijke onderneming, het schip kantelde voortdurend van stuurboord naar bakboord en terug. Als het omslaat gaan we naar de haaien, dacht ik. We zetten voet aan boord, en het krijsen van de wind hield op. Zomaar. Aan boord heerste totale stilte. Davros keek me aan en rilde. Hij merkte het dus ook!

Het schip deinde onder en met ons, maar het hout kraakte niet. De zeilen flapperden maar we hoorden ze niet, evenmin als het beuken van de golven tegen de boeg.

'Madre de Dios,' mompelde Davros, en sloeg een kruis. Zijn woorden klonken hol alsof hij ze in een grote lege ruimte uitsprak. Her en der stonden tonnen met proviand en drinkwater, opgerolde touwen lagen keurig gestapeld. De enige reddingsboot lag roerloos in zijn touwen. Maar we keken allemaal naar het onbemande stuurwiel. Het draaide van links naar rechts, naarmate de golven het stuurloze roer bewogen.

Benjo krabde in zijn kroeshaar. 'Ze hebben het stuur zelfs niet vastgezet om op koers te blijven.'

'Maar twee zeilen gezet,' zei ik, 'waarom de andere niet?'

Davros riep: 'Ahoy! Iemand aan boord?' Het lege dek kaatste zijn woorden terug. We gingen naar de stuurhut, waar Davros zich over de scheepspapieren boog.

'Kapitein Benjamin Spooner Briggs,' mompelde hij, 'met zijn echtgenote Sarah en zijn dochter Sophia Matilde. Vrouw en kind aan boord, ongeluk gevraagd! Vertrokken in New York, op 7 november, op weg naar Genua. Het logboek eindigt op 25 november, daarna niets meer.'

'De wind en de stroming hebben het schip doen keren, zodat het ons tegemoetkwam,' zei Benjo.

Davros knikte. 'Maar dat is al twaalf dagen geleden,' zei hij. 'Waar zijn ze? Even kijken wat ze vervoerden. Als het kostbare zaken waren, kunnen ze geënterd zijn door piraten. Aha, duizendzevenhonderd eiken vaten met pure alcohol. Dat is zo'n dertigduizend pond waard!'

Karel grijnsde. 'Ze liggen straalbezopen te maffen!'

'Ik hoor niemand snurken,' zei Davros. 'Misschien zijn ze ziek, of doodgegaan aan een besmettelijke plaag.'

We splitsten ons op. Davros ging naar de kapiteinshut, Karel naar het ruim. Benjo zocht de kajuiten van de bemanning op aan bakboord, ik liep naar rechts, stuurboord. Maar zodra ik iets zie dat op een besmettelijke ziekte lijkt, ben ik weg, dacht ik.

Ik opende het toegangsluik en daalde de smalle ladder af. Ik liet mijn ogen even wennen aan het schemerige licht dat door de patrijspoorten naar binnen viel.

Ik vond overal wanorde. De bedden waren niet opgemaakt, dekens en kussens lagen op de vloer. Kledingstukken hingen slordig over stoelen. Een gevulde pijp lag op een tafel. Hij was aangestoken geweest maar niet opgerookt. Daarnaast een opengeslagen boek met gekraakte rug, alsof iemand er pas nog in aan het lezen was geweest. In een andere kajuit stond een potje scheerzeep naast een open scheermes, met zeep aan het lemmet. Iemand was zich aan het scheren... en was verdwenen.

Ik huiverde. Waarom was het hier zo koud? Mijn laarzen schraapten over de houten vloer. De adem van onheil was tastbaar rondom mij. Ze zijn niet ziek of dood, dacht ik, ze zijn er gewoon... niet meer! Ik kreeg het gevoel dat onzichtbare ogen in mijn rug priemden. Ik omklemde mijn scheepsdolk en draaide me om. Alleen open kajuitsdeuren.

In de ovens van de scheepskeuken lag as. Op een tafel stond een bord met een groen geworden spiegelei. Een stukje ei zat op een vork geprikt.

Ik voelde dat het schip mij, de indringer, gadesloeg.

'Bootsman! Kom vlug!' De stem van Karel.

Ik rende weg. Het was alsof die lege kamers onzichtbare klauwen uitstaken om mij naar binnen te sleuren.

Karel stond bij het open luik van het bagageruim. We daalden af en kwamen in een kleine ruimte waarin een vijftal reismanden stond. Davros stond zo abrupt stil dat wij tegen hem opbotsten.

In een hoek van de ruimte zat een dode man in een stoel.

Hij had een lichtbruine huid en een kale schedel. Een grijs gewaad was om zijn lichaam gewikkeld tot onder zijn knieën. Zijn armen en voeten waren bloot.

Het middel van de dode man, zijn armen en benen waren met dikke touwen vastgebonden aan de stoel. 'Dus toch een besmettelijke ziekte,' zei ik, 'wegwezen!'

'Doe niet zo belachelijk, Toby,' snauwde Davros.

Ik zag de starende ogen van de dode, de strakgespannen huid over zijn gezicht, de mond die voor altijd openstond in een geluidloze schreeuw. De gruwelijke waarheid drong tot mij door. 'Hij is doodgegaan van honger en dorst!'

'Ja,' zei Davros grimmig, 'de enige die het mysterie overleefde is hier gestorven, vastgebonden. Maar er staat geen oosterse naam op de passagierslijst.'

Benjo ging naar voren. 'Hij heeft iets in zijn ene hand,' zei hij. 'Het is... een flesje. Ik zie iets in dat grijze gewaad. Even kijken.' Hij greep in de halsopening van het gewaad en haalde een ketting tevoorschijn met kleine beenderen die de dode op zijn borst droeg.

Zwarten verbleken niet, maar ik zeg het je: Benjo werd bleek van schrik. Hij liet de ketting los en viel op zijn knieën. Ik dat hij een gebed wilde zeggen, maar hij greep de linkervoet van de dode en keek naar de tenen. Hij sprong op en keek met wilde ogen naar Davros.

'*Bomoh,*' fluisterde hij, 'hij is een *bomoh* en hij heeft een *toyol*-flesje in zijn hand. Open en... leeg.'

Davros, de stoere bootsman die voor niets bang was, werd wit om zijn neus. Hij slikte even, keek ons toen aan. 'Karel, Benjo, til hem op. Met stoel en al.'

'No Sir,' zei Benjo, 'ik raak de *bomoh* niet aan.'

Ik schrok me te pletter, dat was regelrechte muiterij. Een bevel van de bootsman weigeren, daarvoor werd je gegeseld. Maar Davros knikte. 'Oké, Toby, help jij even.'

Karel en ik tilden de dode op. Ik denk dat de stoel zwaarder woog dan het lijk. We brachten hem naar boven. 'Naar stuurboord,' zei Davros, 'zodat men ons niet ziet vanaf de Dei Gratia. Optillen, en overboord ermee.'

'Wat?' vroegen Karel en ik tegelijk. Davros bracht zijn gezicht vlakbij die van ons. 'Je hoorde me,' snauwde hij. 'Hij is al vele dagen dood, oké? Hij staat niet op de passa-

gierslijst, oké? En jullie bleekscheten hebben geen idee wat dit is. Overboord ermee, nu!'

Met een plons verdwenen stoel en lijk in de woeste golven. 'Hier wordt nooit meer over gesproken,' zei Davros.

We knikten.

7 december 1872

Twee dagen later. Ik heb geprobeerd uitleg te krijgen, maar Davros en Jengo zwijgen. Davros bracht verslag uit aan onze kapitein: 'Geen levende persoon aan boord.'

Op de Dei Gratia werden verhitte discussies gevoerd over wat er gebeurd kon zijn. Waren ze door waanzin overmand en overboord gesprongen? Geënterd door piraten en allemaal vermoord of meegevoerd als slaven?

Kapitein Moorehouse heeft een driekoppige bemanning naar de Mary Celeste gestuurd. Zij vaart nu in ons kielzog naar Gibraltar. Bootsman Davros heeft de leiding.

Telkens als ik aan dek ben en de Mary Celeste zie, huiver ik. De ogen van het schip houden mij in de gaten. Ik blijf me afvragen wat daar echt gebeurd is.

8 december 1872

Het ligt voor mij op tafel, in mijn kajuit. Ik herinner mij dat ik iets opraapte dat op het dek viel toen we de dode overboord gooiden. Ik stak het in mijn zak zonder erbij na te denken en vond het toevallig vanmorgen.

Het weegt een paar gram, meet drie centimeter, is droog en bruin. Het is een grote teen. Van een mens. Van hém. Er zit een klein rond gaatje vooraan in die teen, en wat geronnen bloed. Wat moet ik hiermee? Ik durf het aan niemand te laten zien, niet na wat er gebeurd is. Bootsman Davros is dood. Een plotselinge windstoot gooide hem overboord toen hij een zeil aanspande van de Mary Celeste. Hij is niet teruggevonden. Ik ging erover praten met Jengo. Ik wilde hem de teen laten zien, maar deed dat niet. Jengo is doods-bang. 'De *bomoh* zit erachter,' zei hij. 'Davros was een erva-ren zeeman, die valt niet zomaar overboord. Nu zal hij ach-ter ons aan komen.'

'Wie? Waarom? Jengo, wat is een *bomoh*?'

'Een Singalese heksenmeester, een boze *sjaman*. Een grootmeester van het kwaad.'

'Maar hij was dood, Jengo.'

'Was hij dat echt? Je zag het flesje in zijn hand, het was open en leeg. Daarin zat een *toyol*. Die is nu vrij.'

'Ik snap er niets van.'

'Een *toyol* is een Thaise boze geest, een soort demon. De *bomohs* in Maleisië en Singapore krijgen bepaalde krachten of wensen vervuld door de *toyol* als ze die bevrijden. In ruil daarvoor krijgt de *toyol* macht over hen.'

'Hoe dan?'

'De *toyol* zuigt het bloed van de *bomoh* uit zijn grote teen.'

Ik begreep dat ik beter kon zwijgen over de teen in mijn bezit...

9 december 1872

Net wakker moet ik dit nu opschrijven. Dadelijk. Ik heb nog nooit zo'n nachtmerrie gehad.

Midden in de nacht zat ik plots rechtop, was ik klaar-wakker. Dacht ik. Ik hoorde stemmen. Ze leken menselijk, en ook weer niet. Alsof ik ze hoorde in een enorm grote ruimte, vol echo's. Eerst leek het een fluisteren, bijna over-stemd door het klotsen van de zee. Mannen en vrouwen... ze giechelden. Alsof ze dronken waren, of gek. Toen klon-ken er voetstappen op het dek boven mij, ik hoorde men-sen vallen. Zware voorwerpen die bewogen op het dek. Het giechelen werd een krijsen. Mensen schreeuwden het uit.

Ik rende in mijn pyjama naar de deur, maar die kon ik

niet open krijgen. Het schreeuwen ging maar door, ik schreeuwde ook maar niemand scheen mij te horen. Ik ging op mijn brits zitten, maar zelfs met mijn handen over beide oren bleef ik het horen. Dingen vielen in het water of werden erin gegooid. Ze bleven maar schreeuwen.

Toen zag ik hem. Hij zat nog altijd vastgebonden in diezelfde stoel. In mijn kajuit, naast de deur. Zijn hoofd was opgetild, alsof hij luisterde met dode oren. Zijn ogen waren open en leefden, ze staarden mij aan.

De droge lippen bewogen. 'Sawatdee,' zei de dode. 'Phom cheu Khamissah.'

Ik werd misselijk. Dit ding was dood, we hadden het in de zee gegooid. Nu zat het hier en praatte tegen mij.

De rechterhand ging open en toonde mij het kleine open flesje. De mond bewoog weer en hoewel de lippen andere woorden vormden begreep ik nu wat de dode zei.

'Ik ben Khamissah van Koh Chon,' zei hij. 'Jij bent op het schip geweest. We zullen elkaar terugzien.'

Hij lachte, de mond ging wijdopen en iets kwam uit zijn mond. Het verspreidde zich over zijn gezicht, ik hoorde beenderen kraken en...

Ik moet flauwgevallen zijn, of in een diepe slaap.

Ik werd zojuist wakker. Geen vreemde stemmen, geen dode in mijn kajuit. Wat een nachtmerrie!

Later. Jengo is vannacht vermoord. Hij is in zijn kajuit gevonden, op zijn brits. Zijn eigen mes stak door zijn tong.

Ik hoorde fluisteren dat zijn deur van binnen op slot was.

Ik heb de teen in de zee gegooid.

15 december 1872

De teen is terug. Hij lag vanochtend naast mij op mijn brits. Karel is dood. Een balk kwam los en viel op zijn hoofd.

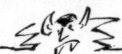

Aan dek draai ik mijn rug naar de Mary Celeste. Het dodenschip weet wie ik ben, waar ik ben. Wat hebben we werkelijk gevonden aan boord van dat helse schip, of wat hebben wij veroorzaakt? Ben ik de volgende?

7 januari 1873

Het is al drie weken geleden dat ik hierin geschreven heb. Ik heb geen rustige nacht meer. Ik word uitgeput wakker en huiverend van angst maar kan me nooit herinneren wat ik gedroomd heb. Ik heb de teen drie keer weggegooid maar hij komt steeds terug.

Soms heb ik in mijn slaap woorden opgeschreven die ik niet kan lezen. Iemand heeft ze vertaald voor mij. Het is Thais. Een *bomoh* is van Singapore of Maleisië. Maar een *toyol* is een Thaise demon die gebruikt wordt door de *bomoh*. De tekst betekent: 'We zullen elkaar terugzien.' Wie spreekt tot mij in mijn dromen, de magiër of de demon, of zijn ze één?

De Mary Celeste is één dag na ons veilig aangekomen in Gibraltar, zonder verdere problemen. Het schip is grondig onderzocht door de scheepvaartpolitie en de verzekeringsmaatschappij, maar het blijft een mysterie. Ik ben de enige die weet wat wij daar vonden. Moet ik het geheimhouden?

5 december 1877

Vijf jaar lang heb ik niets meer willen schrijven in dit logboek uit de Hel. Ik ben nu eerste matroos, met al heel wat vaarten achter mij. Maar nu voel ik mij alsof ik weer tien jaar ben, zoals toen ik voor de eerste keer voet zette op het wiebelende dek van de Mary Celeste.

Want ik ga weer aan boord van dat duivelse schip.

Het schip werd doorverkocht, maar het heeft een slechte reputatie, men zegt dat het behekst is. En ja hoor, vannacht was hij er weer. Een vaalgroen licht zweefde als een mist

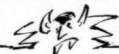

door mijn kamer, in het midden stond die akelige stoel, en daarin zat hij... Khamissah.

Hij opende zijn dode mond. 'De Mary Celeste vaart morgen,' zei hij. En hij verdween.

's Middags. De eerste stap die ik weer aan boord zette van de Mary Celeste was heel vreemd. Even was er geen enkel geluid meer, alsof het schip zijn adem inhield, alsof het mij herkende. Precies vijf jaar geleden, dacht ik.

6 december 1877

Mijn hand kan amper de pen vasthouden, ik spat inkt in het rond. Maar ik moet schrijven wat ik gezien heb. Ik lig op mijn brits, de scheepsdokter zegt dat ik hoge koorts heb, hallucinaties. Ik weet wel beter.

Ik kon vannacht niet slapen. Ik bleef aan dek. Het was een kalme nacht. Er waren veel sterren. Ik hoorde de stuurman een deuntje fluiten. Ik begon me iets beter te voelen. Het begon rond twee uur 's nachts. Een zwarte mist kwam rond het schip omhoog uit de zee. Ik kon de sterren niet eens meer zien. Toen begonnen de geluiden: eerst het schorre fluisteren, daarna het onaardse giechelen. Mijn handen leken vastgevroren tegen mijn lichaam, ik kon geen spier bewegen. Ik zag de voorkant van het schip... door het lichaam van de stuurman heen! Hij stond daar als een verstard beeld, en hij had een ander uniform aan. De zeilen stonden strak als karton en klapperden niet meer, er was geen wind meer. De Mary Celeste lag roerloos, alsof de tijd zelf even stilstond.

Toen hoorde ik iets vreemds bij de reling. Het leek of er iets blubberend neerklotste op het dek. Ik kon het niet zien, maar voelde de aanwezigheid van iets dat groter was dan een mens. Het stonk naar rotte vis. Ik hoorde schurende geluiden van klauwen op hout. Mijn adem stokte. Het geluid kwam dichterbij en iets stortte zich op de stuurman.

Opnieuw hoorde ik nat geplons bij de reling, alsof meer van die wezens uit de zee kwamen. Ze klauwden zich omhoog aan de zijkant van de Mary Celeste en glibberden aan boord. Ik had maar even omgekeken. Toen ik weer voor me keek was de stuurman verdwenen. Op het dek lag een rode plas.

Het geplons en gekrab klonk nu overal om me heen. De rotte geur maakte me misselijk. De agressieve wezens verspreidden zich over het schip. De luiken naar beneden openden zich. Toen begon een afschuwelijk schreeuwen. Ik hield mijn handen op mijn oren, maar het hielp niets.

Sommige van de matrozen vochten tegen de monsters, maar de meeste waren gek van angst. Passagiers kwamen in nachtkleding hun hutten uit gerend, ook vrouwen en kinderen. Niemand werd gespaard. Enkelen sprongen overboord, maar ik ben bang dat zij ook gepakt zijn.

Ik kon dwars door de mensen heen kijken. Ik zag spookecho's uit het verleden, als een schimmenlantaarn met ijzingwekkende beelden. Alleen de plassen op het dek waren niet doorzichtig. De houten planken kleurden dieprood.

Mijn ogen weigerden dit nog te zien, mijn hersens wilden dat deze gruwelen stopten voor ik zelf waanzinnig zou worden. Ik kon deze mensen niet helpen, ze waren al meer dan vijf jaar dood! Het waren alleen maar hun schimmen die het dodenspel herhaalden.

Laat het ophouden, smeekte ik.

'Je hebt geen keuze, Tobias,' zei een stem. 'Ze zijn gevangen in de tijd. Om wat ze met mij deden, en daardoor met zichzelf.'

Khamissah verscheen naast mij op het dek, tussen de mensen en de verscheurende monsters. Vluchtende mensen liepen dwars door ons heen. Khamissah keek mij aan, deze keer met menselijke ogen. Ik zag het demonische ding bewegen in zijn mond, maar het bleef daar.

'Ze hebben zichzelf vervloekt,' zei hij. 'Ik ben een *bomoh*, maar ik was goed. Ik was een verstekeling en de matrozen vonden mij. Ze spuwden in mijn gezicht, scholden me uit. Ze bonden me op een stoel in het ruim en lieten mij verhongeren. De dorst werd mij te veel. Mijn hart was vol woede en haat toen ik de fles van de *toyol* opende.'

Hij zweeg even en keek naar de slachtpartij. 'Daar wacht de *toyol* op,' zei hij, 'dat ogenblik van duisternis in de ziel, in het hart. Dat ene ogenblik waarop het goede wijkt, zodat woede en wraak de kans krijgen.'

'Maar al die onschuldigen,' zei ik, 'de kapitein, zijn vrouw, zijn kind, de passagiers. Davros, Jengo, mijn vrienden.'

'De *toyol* maakt geen onderscheid. De onschuldigen boeten met de schuldigen, dat is zijn grote fout. Ik opende de fles en liet de demon vrij. Hij dronk mijn bloed. Dat opende de poorten van de Hel. Die staan nog open en zullen dat blijven. De *toyol* en zijn demonen zijn verbonden met dit schip. Zoals hun slachtoffers en ikzelf. Je moet het stoppen. Een levende moet er een einde aan maken. Ik ben dood, ik kan dat niet meer maar misschien kan ik het kwaad nog uit mijn hart scheuren.'

Tussen zijn dorre vingers zat het lege flesje. Ik reikte ernaar, het was alsof ik mijn hand door dikke kleverige stroop moest dwingen. Toen voelde ik het flesje, erg koud tussen mijn vingers.

Hoe wist ik wat ik moest doen? Ik denk dat Khamissah mij leidde. Erg traag en met veel moeite haalde ik de afgebroken teen uit mijn zak en stopte die als een kurk in de opening van het flesje. De traagheid strekte zich nu uit tot alles rondom mij. De bloedpoelen werden opgezogen door het dek. Het werd stil. Doodstil.

Toen bewoog niets meer rondom mij. De zon kwam op en gaf het smetteloze dek een zachte gloed. Aan het stuur stond een fris uitgeslapen matroos. De Mary Celeste vervolgde de reis, met in haar een spookschip met zijn dode bemanning en zijn demonen.

De verlamming week uit mijn ledematen, die stijf waren van heel de nacht in dezelfde houding gestaan te hebben. Ik boog me over de reling en zag de stoel op het water dobberen, en Khamissah daarin.

'Het is slechts tijdelijk,' zei hij, en toen slokte de diepte hem op.

Hoewel ik niets gegeten had, gaf ik over in de zee.

3 januari 1885

Het duivelse flesje van de *toyol* is kapot. Het werd zwart en begon te roken. Ik heb het overboord gegooid. Ik hoorde nog even een ijselijk krijsen ...toen niets meer.

25 januari 1885

Vandaag hoorde ik in de haven dat de Mary Celeste is gezonken. In brand gestoken door haar kapitein. Op 3 januari, de dag dat het demonenflesje overboord ging...

'Mooi verhaal,' zei Henk van Kerkwijk, toen Eddy C. Bertin klaar was met voorlezen. 'Dat heb je razendsnel bij elkaar verzonnen, secretaris.'

'Verzonnen?' stoof Eddy op. 'Dit is me gedicteerd vanuit de hel, Van Kerkwijk.'

'Oké, sorry,' zei Henk, 'ik bedoelde er niets mee.'

'Zeg nooit te snel dat iets verzonnen is, oude vriend,' zei Hans van de Waarsenburg. 'Er zijn veel verhalen die geen verhaal zijn. Deze schoener deed me al de hele tijd aan iets denken.'

'Hé, jou ook al?' vroeg Paul van Loon. 'Doet het je aan hetzelfde denken als mij? En weet jij dan waaraan?'

'Dat is een vraag waar ik over moet nadenken,' zei Hans. 'Zal ik intussen vertellen waar deze boot me aan deed denken? Ik heb ooit een ontmoeting gehad met een spookschip dat wel degelijk echt was. Of liever: dat ooit echt had bestaan. Nu niet meer natuurlijk, want het was een spookschip.'

'Je kunt zó voor de klas,' zei Els Rooijers. 'Er is een schoolmeester aan je verloren gegaan. Ik snap er niets van.'

'Dan zal ik het jullie vertellen,' zei Hans.

De zee... De zee...

door Hans van de Waarsenburg

Onweer rommelde in de verte. De lucht was dofgrijs en bruin, als zilver dat lang niet is gepoetst. Af en toe viel er een zware regendruppel, maar van een echte bui kwam het niet. Nog niet.

Ze zaten op een bank, Boris en zijn grootvader, en keken uit over de eindeloze akkers. Onkruid had een groen waas gelegd over de zware klei die in kaarsrechte richels was geploegd.

'Wat doen we als het gaat regenen?' vroeg Boris.

'Gaan we in de hut zitten,' zei opa.

De hut was een bouwkeet, een container van hout en ijzer. Hij stond verloren in het vlakke polderland. In het voorjaar en de nazomer gebruikte de boer hem om er te eten en zijn spullen veilig te bewaren. Nu was hij leeg, op wat rommelig meubilair na.

Boris keek naar zijn opa die de verre horizon aftuurde. Onweer sloeg luie slagen op een enorme trommel in de lucht.

'Ik hoor de kraaien niet meer,' zei Boris. Nog maar een paar minuten geleden had een groepje kraaien lawaai gemaakt alsof ze voetbalsupporters na een verloren wedstrijd waren. Gehak, getak, boos gekraak en veel heisa om eten. Nu waren ze weg, verscholen tussen de bladeren van de iepen langs de rand van de akker.

Zijn opa keek omhoog. 'Dan gaat er zo dadelijk iets gebeuren. De stilte van de kraaien is een grimmige boodschapper.'

'Zullen we maar naar huis gaan?' vroeg Boris.

Zijn opa schudde zijn hoofd, langzaam en beslist. 'Nee. Je wilde verhalen over de Zuiderzee en dit is de plek waar zich verhalen hebben afgespeeld. Hier kan ik ze het best vertellen.'

Boris bekeek de akkers, de eindeloze voren en de horizon die in dit grijze licht oneindig ver weg leek.

Op school hadden ze geleerd dat het IJsselmeer vroeger een zee was geweest: de Zuiderzee. Pas een jaar of zeventig geleden was die veranderd in een meer: het IJsselmeer. Er waren polders gemaakt, zoals de Noordoostpolder, waar Boris' opa woonde.

Vanmiddag had Boris gevraagd of zijn opa zich de Zuiderzee van voor de inpoldering herinnerde. Opa had gegrinnikt. 'Nee,' zei hij. 'Ik ben wel oud, maar zó oud ook weer niet. Verhalen over de Zuiderzee herinner ik me wel. Mijn vader heeft nog op de Zuiderzee gevaren. Ik moet ergens een dagboek van hem hebben waar hij over een tocht op de Zuiderzee vertelt. Alleen geen idee waar dat boek is. Ergens op zolder.'

'Vertel eens een verhaal, opa.'

Zo waren ze terechtgekomen op deze akker waar niets groeide dan onkruid.

'Dit was,' had opa gezegd toen ze uit de auto stapten, 'dit was ooit een dijk die langs de rivier de IJssel liep. Rechts van ons was water. Kun je je voorstellen? Nee hè? Je ziet niet eens meer dat dit een dijk was. Hij is na het inpolderen helemaal weggezakt in de bodem. Kom mee.'

Ze liepen een stukje over de dijk en toen de akker op.

Alsof er een filter voor de zon werd geschoven, was het opeens donker. Vuil licht sijpelde omlaag. Een helwitte gevorkte bliksemschicht schoot door de lucht. Donder knalde, kraakte, scheurde. Het volgende moment gutste de regen omlaag.

Het was maar drie stappen naar de hut, toch waren Boris en opa doorweekt toen ze binnen stonden. Gelukkig was het er zo warm dat het water in hun kleren razendsnel leek te verdampen.

Boris ging voor een van de ramen staan. De regen was een ondoorzichtige grijze muur, hij kon niets zien dan water. Opa was op een gammele stoel gaan zitten. Hij keek nog steeds in de verte, waar niets te zien was.

In de hut was het tussen schemerig en donker in. De regen hamerde op het metalen dak en ruiste langs de houten wanden.

'Waar we nu zijn,' zei opa na een lange stilte, 'heet de Geute. Dit was een van de plekken waar de IJssel in de Zuiderzee uitkwam. Het deugde hier niet.'

'Wat deugde hier niet?'

Opa's stem werd zacht en geheimzinnig. 'De Zuiderzee was een gevaarlijke zee. De golven waren er kort en fel. De wind ging hier zijn gang alsof hij thuis was. Het water woelde dingen op van de zeebodem en als de wind zó hard blies dat water en hemel één werden, kwamen er dingen omhoog waar wij mensen bang voor moeten zijn.

Hoeveel schepen zijn er gezonken tijdens woeste stormen? Niemand weet het. Hoeveel kwalijks is er uit de zeebodem losgewoeld, wat kwam er omlaag uit de woedende hemel wanneer het stormde met windkracht twaalf?'

Boris had geen antwoord. Zijn opa verwachtte er ook geen.

'Een visser kwam op een nacht vissen in de Geute,' zei hij. 'Samen met zijn knecht liet hij het anker zakken, zette zijn netten overboord en ging daarna slapen. Morgen zouden ze wel zien hoe de vangst geweest was.'

Een enorme bliksemflits, direct gevolgd door een onweersslag, liet de hut trillen. Even – te kort om het echt te zien – zag Boris dwars door de regensluier een lichtje dat deinde op de wind. Een brommer, dacht hij. Iemand op een brommer die door de storm is overvallen. Hij volgde het licht terwijl hij naar het verhaal luisterde.

'De schipper en zijn knecht lagen in hun kooi, toen er opeens gezang klonk. De knecht, die er wakker van werd, wekte de schipper en samen luisterden ze. Om hen heen was niets dan water. Waar kon dat gezang vandaan komen? Bang maar toch nieuwsgierig gingen de schipper en zijn knecht aan dek. Daar waren de woorden van het gezang te verstaan.

De lamp brandt, de lamp brandt
maar wij gaan liever over zand...

Toen verschenen er voor de schipper en zijn knecht vier schimmen. Mannen, vrouwen? De gedaanten waren zo onwerkelijk, dat ze het niet goed konden zien.

Het gezang leek overal vandaan te komen. De schipper en zijn knecht stonden roerloos, aan het dek genageld.'

Boris zag dat het lampje nu recht op hun schuilplaats af kwam. Onmogelijk! Geen brommer kon door de gutsende regen over de hobbelige akker komen aanrijden. Vreemd trouwens, dat het schudden van de wind aan de bouwkeet was overgegaan in een soort wiegen, lui geschommel.

Boris had inmiddels het gevoel alsof de hut niet meer op vaste grond stond. Zat hij zo ín het verhaal van opa?

'Luister je nog?' vroeg zijn grootvader.

'Ja natuurlijk opa.'

'De gedaanten kwamen dichterbij. Zweefden ze? Liepen ze over het water, of hadden ze een vlot? Ze waren nu bij het schip en zonder een woord legden ze hun handen op de reling. Acht handen die zó zwaar waren dat de boot begon over te hellen. De boot ging omlaag, tot hij dreigde te kantelen. Roerloos van doodsangst keken de schipper en zijn knecht hoe hun schip dreigde te vergaan. Stuurboord maakte al water. 'Toen, in een vlaag van helderheid, wist de schipper wat hij doen moest. Hij voelde de kracht in zijn spieren terugkomen en samen met zijn knecht hakte hij het ankertouw los. Net op tijd. De schuit kwam in beweging en dreef weg uit de Geute. Het gezang werd zachter, de boot kwam weer recht in het water te liggen. De schipper en zijn knecht hesen de zeilen en ze voeren naar Harderwijk. Daar haalden ze pas de netten in, die al die tijd onder water waren mee gegleden. En toen zagen ze het...'

Boris kon zijn ogen niet van het lampje buiten afhouden. De lamp brandt, dacht hij, maar wij gaan liever over zand...

Was het zijn verbeelding, of bewoog de vloer onder zijn voeten? Er vielen liters en liters regen om hen heen. Genoeg om de akker te laten onderlopen? Genoeg om de bouwkeet op te tillen? Hoe meer hij erover dacht, hoe meer hij het gevoel had dat ze dobberden.

'Nou?' zei zijn grootvader, 'wil je het nog verder horen?'

'Ja opa,' zei Boris, 'maar kom eens kijken? Ik zie iets raars.'

Zijn opa stond op en kwam naast hem staan.

Ze keken even stil naar het licht dat onmiskenbaar recht op hen af kwam.

'Dat is toch geen fiets of een brom...'

'Een brommer? Nee, dat is het zeker niet.' Opa klonk gespannen, alsof hij wist wat het licht wél was, maar het niet wilde zeggen.

De bliksem ging nu onophoudelijk tekeer, witte en blauwe lichtschichten schoten omlaag, de donderklappen waren nauwelijks meer van elkaar te onderscheiden. Het had evengoed nacht kunnen zijn, zó donker was het in de bouwkeet.

'Kom even bij me zitten, dat vertelt wat leuker.'

Boris kon zich met moeite van het raam afwenden. Hij ging tegenover zijn grootvader zitten. 'Wat vonden ze in hun netten, opa?'

'Grafstenen,' zei opa. 'De schipper en zijn knecht hadden brokken van vier verschillende grafstenen meegenomen. Er zat geen enkele vis in hun net. Niet één.'

Hij wierp een snelle blik op het raam. 'Bij de Geute heeft ooit een dorp gelegen,' zei hij toen haastig. 'Lang geleden is het door de golven van de Zuiderzee verzwolgen. De schipper en zijn knecht hadden het ongeluk dat ze hun netten precies boven het kerkhof van dat verdronken dorp uitgooiden.'

'O,' zei Boris een beetje geschrokken, 'dus die vier gedaanten...'

'Ja,' zei opa. 'Opgeschrikt uit de dood toen hun zerken werden weggevist.'

Het ratelen van de regen op het dak werd nog harder toen de wind meer kracht kreeg. Je hoorde geen roffelen meer, het was een aanhoudende dreun, een lange lage dreiging. De wind joeg om de bouwkeet en liet hem schudden. Boris wist nu bijna zeker dat ze dreven.

'En die lamp, opa?'

'Geen idee, jongen. Een brommer is het niet, misschien de koplamp van een auto verderop op de weg...'

'Nee, die waar de gedaanten over zongen.'

'Dat weet ik niet. Ik heb dit verhaal weer van míjn vader en die wist het ook niet. Misschien zongen ze over de barneman.'

Boris, die het gevoel had alsof de stralen van het schijnsel buiten in zijn nek prikten, stond weer op en liep naar het raam.

Het was in de keet inmiddels zo klam als in een douche. De muren en het dak hielden de druppels buiten maar het vocht trok door alle kieren en spleten. Boris' kleren kleefden aan zijn lijf. Hij besteedde er geen aandacht aan. Het licht was er nog steeds, maar nu hing het hoger, alsof het in een hijskraan was gehesen. Een koplamp was het zeker niet,

wat dan wel?

'Wat zie je?' vroeg grootvader.

'Het lijkt wel vuur, opa,' zei Boris. 'Ik bedoel, het is geen lamp of licht, het lijkt of ik vlammen zie.'

Zijn grootvader fronste maar stond niet op om te komen kijken. Wilde hij het licht niet zien? Of wist hij zeker dat Boris zich vergiste?

Een krakende, oorverdovende onweersklap liet de bouwkeet schudden. Terwijl de klap na-echode, leek het of de wind en de regen even inhielden om hun krachten te verzamelen voor een nieuwe uitbarsting.

De keet deinde, Boris wist het zeker. Zonder een woord gaf hij toe aan de drang die hij al voelde sinds hij het licht voor de eerste keer had gezien. Hij liep naar de deur en opende hem.

De akker was verdwenen, de bomen waren verdwenen, de hele wereld leek verdwenen. Het was of de bouwkeet in een leeg, oneindig heelal zweefde.

Boris hield zijn adem in. Zijn hart klopte in zijn keel.

Toen zag hij het licht. Het was verder weg dan hij gedacht had. Het scheen van ergens waar daarstraks nog de rand van de akker was geweest. Door de regen heen was het niet meer dan een vlek geweest die op vuur leek. Nu kon hij het licht scherp zien. Het had de vorm van een dier, of van een ineengedoken mens.

Er suisde iets, alsof de wind uit een hinderlaag te voorschijn kwam. De deur werd uit zijn handen gerukt, sloeg wijdopen en sloeg onmiddellijk daarna weer terug. Hij viel met een droge knal voor Boris' neus dicht.

Boris bleef roerloos staan. Hij wist het zeker: hij had golven gezien. Gezichtsbedrog was het niet: er hadden echt golven tegen de bouwkeet geklotst. Een natte plek voor zijn voeten was het bewijs, het schommelen van de bouwkeet was echt gebeurd.

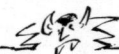

'Opa?'

Boris liep naar de stoel waar zijn grootvader in diep gepeins verzonken leek.

'Opa?'

'De barneman,' zei opa. 'De vurige man van de Geute. Sommige schippers zagen hem op de dijk. 's Nachts, als ze hun netten hadden uitgegooid en aan het werk waren. Een schipper en zijn knecht waren uit Elburg gekomen en hadden hun schip in de monding van de Geute gelegd. Terwijl ze werkten, zong de knecht uit volle borst een stuk opera. De visser floot af en toe mee. Ze vingen meer dan ze hadden durven hopen. De ene na de andere lading vis verdween in het ruim van hun schuit.

Plotseling slaakte de knecht een rauwe kreet en wees trillend naar de dijk. Daar, in de heldere nacht, stond een brandende gestalte die met een roodgloeiende arm naar de zee wees.

Roerloos en dreigend stond hij daar. Vuur lekte omlaag, vlammen dansten over zijn gedaante. De schipper sloeg zijn armen voor zijn gezicht, want het vuur was zó fel, zó wit en zó heet, dat het hem schroeide.

De knecht had zich plat op het dek laten vallen. Hij voelde een verzengende wind over zich heen strijken. Rook hij al schroeiend hout?

Even hief hij zijn hoofd op. Alles wat hij zag was de vurige gedaante die gegroeid leek en nu als een enorm brandend standbeeld tegen de lucht stond afgetekend, een strenge arm op zee gericht.

"We moeten weg!" piepte de knecht en hij kroop naar de schipper. "We moeten weg!"

De schipper liet zijn armen zakken, maar hield zijn ogen dicht. Op de tast ging hij naar het roer en gooide het met een ruk om. De knecht hees de zeilen en met de hete adem van de vurige man in hun nek vluchtten ze uit de Geute.'

Opa klonk alsof hij in zijn slaap praatte. Boris stond te luisteren terwijl hij de deining van de bouwkeet door zijn lichaam voelde gaan.

Tot nu had Boris er niet bij stilgestaan dat ze in gevaar verkeerden. Of de barneman bestond of niet, ze dreven op een binnenzee die misschien al meer dan een meter diep was. Wat gebeurde er als de bouwkeet water maakte en onderliep? Waar moesten ze heen?

De angst om te verdrinken, samen met zijn grootvader onder te gaan in de gierende storm was groter dan zijn angst voor de vurige verschijning.

'Opa? Hoe komen we hier weg?'

'Wachten jongen, tot de bui is overgedreven. Zodra we de kraaien weer horen, zal het veilig zijn.'

'Maar we drijven! De hele akker is ondergelopen. Hoe hoog kan het water komen?'

Grootvader schudde traag zijn hoofd. 'De Zuiderzee was hier nooit diep. Overal zandbanken. De boten hadden platte bodems zodat ze niet vast zouden lopen.'

Deze container is in elk geval heel ondiep en heel plat, dacht Boris. We zullen niet aan de grond lopen. Misschien drijven we op de storm mee naar het midden van de zee en verdrinken we daar.

Hij liep weer naar het raam en tuurde door het glas.

Achter hem stond zijn grootvader moeizaam op en kwam naast hem staan.

'Varen we, opa?' vroeg Boris.

Zijn grootvader haalde zijn schouders op. 'Ik weet niet wat we zien, jongen. Ik weet niet wat er gebeurt als het noodweer is bij de Geute. Misschien komt er een spookzee mee op de storm. Dwars door de tijd, om alles wat hier vroeger was voor even weer terug te brengen. We kunnen niet anders dan afwachten.'

Het licht van de vurige man op de dijk was een waterige

stip in de verte geworden. Ze moesten steeds verder zijn weggedreven op de wind en de stroming van het woest kolkende water.

Net toen Boris opgelucht bedacht dat ze nu in elk geval buiten het bereik van die spookachtige ongeluksbrenger waren, dikte het licht in tot een gloeiende punt en groeide toen razendsnel. Het kwam op hen af. Onmiskenbaar recht op hen af, terwijl het van kleur veranderde. Het werd oranje, en daarna rood.

'Opa!' zei Boris ademloos.

Samen keken ze naar het licht dat heen en weer schudde, omhoog schoot en weer neerdook. De rode gloed verlichtte zeilen en een mast. Uit het spel van donker en licht verscheen een schip, eerst wazig, niet meer dan wat zilverachtige lijnen, daarna steeds duidelijker.

Het schip kwam met ijzingwekkende vaart dichterbij. Het leek geen koers te hebben, het ene moment zagen ze het van voren, dan van opzij, soms zelfs van onderen. Het rode licht was een scheepslantaarn die in de top van de mast slingerde.

Een hoge jammerende toon ging vooraf aan een oorverdovend gekraak toen het schip de bouwkeet ramde.

Boris en zijn opa werden omver geworpen. De bliksem knetterde, onweer juichte donderend. De wereld was één werveling van wind, water, muren en vloeren die kantelden, schudden en schommelden.

Boris viel met zijn achterhoofd tegen een stoel. Vlammende pijn trok door zijn hoofd. Daarna was er geen geluid meer, alleen nog een traag wiegen in het aardedonker.

Het krassen van de kraaien wekte hem. Waterig licht vulde de bouwkeet. Veilig! was zijn eerste gedachte. Hij krabbelde overeind maar zakte weer terug toen een pijnscheut door hem heen joeg.

Plotseling in paniek omdat zijn herinneringen terugkwamen als een razende werveling, keek hij om zich heen. Waar was hij, waar was opa?

Zijn grootvader stond bij het raam van de bouwkeet die in een chaos was veranderd. De tafel was omgevallen, stoelen stonden en lagen overal. Een kast met gereedschap had zijn inhoud over de vloer gestort. En lag het aan Boris, of stond de bouwkeet een beetje scheef?

'Opa?' zei hij zwakjes.

Zijn grootvader draaide zich opgelucht om. 'Je bent er weer. Goddank. Hoe voel je je?'

'Pijn in mijn hoofd.'

Opa liep naar hem toe en Boris zag dat hij hinkte. 'De bui is over,' zei hij, terwijl hij Boris overeind hielp.

'En dat andere?' vroeg Boris. 'Dat schip en het vuur en...'

'Ook weg. Alles is weer gewoon.'

'Was het echt, opa? Hebben we echt meegemaakt wat er gebeurd is?'

Zijn grootvader knikte. 'Maar laten we thuis vertellen dat de wind deze container een paar flinke rukken heeft gegeven. De rest is te ongeloofwaardig. Kom, gauw naar huis.'

Ze liepen naar buiten. De akker was een modderpoel geworden. Enorme plassen lagen tussen de voren, het onkruid was platgeslagen en lag slap als zeewier op de aarde. De lucht rook naar ozon en zout. Een zilte, frisse geur, alsof ze aan zee waren. De bouwkeet was naar achteren gekanteld alsof een enorme vloedgolf hem met een smak vanuit het niets op de akker had gezet. Het leek of een groen waas van algen zich onderaan de wanden had vastgezet.

Moeizaam, glibberend over de vette klei en af en toe diep wegzakkend, gingen ze naar de verzakte dijk, waar opa's auto stond.

Rondom hen streken de kraaien neer. Met houterige passen gingen ze door de akker, scheldend naar elkaar en pikkend in de zware klei.

Midden uit een enorme plas, waarin de leeggeregende wolken zich spiegelden, stak een paal. Een stuk touw dat aan een zware ijzeren ring bovenaan was gebonden, dreef als een reusachtige wurm op het water.

Boris bleef staan en wees, zonder een woord te zeggen.

Halverwege het touw dobberde een lantaarn. Een ouderwetse gebutste ijzeren kast met een groot rond gat waar het glas had gezeten.

Er was nog maar één scherf van over, een stukje rood glas, verweerd en gekrast, dof geworden door de tijd.

'Scheepslantaarn,' zei opa.

Ze liepen haastig verder, weg van de Geute, waar ooit de IJssel in de Zuiderzee was uitgemond en waarvan de mensen zeiden dat het er niet deugde.

De lamp brandt, de lamp brandt
maar wij gaan liever over zand

'Nu je het toch over zeilschepen hebt,' begon de IJskoude Teng. 'Ik vond er eentje in mijn kajuit. In een fles.'

'Had ik het daar dan over?' zei Hans.

Teng ratelde gewoon door. 'Deze fles herinnerde me aan iets wat Tosca overkomen is. Niet dat het interessant genoeg was om in onze Duisterlingen-boeken te zetten. Maar het ging wél over piraten. Over de ergste van allemaal. Van Zwartbaard is bekend dat hij niet wachtte tot zijn slachtoffers hem hun gouden ringen en oorbellen overhandigden. Hij hakte hun vingers en oren gewoon af en stopte ze in zijn jaszak.'

'Zou ik ook doen,' beaamde Hans. 'Van vingers en oren kun je een heerlijk voedzaam soepje trekken.'

In de kajuit was het razen van de storm weggevallen tot een eindeloze dreun op de achtergrond. De GG-leden voelden zich alsof ze veilig in hun vergaderkelder zaten, alsof dit doodgewoon een GG-bijeenkomst was, waar ze elkaar hun verhalen vertelden. Alleen de voorzitter was zich nog steeds bewust van een knagend gevaar. Het lag op het puntje van zijn tong om de anderen te waarschuwen, maar hij kon er nog steeds de woorden niet voor vinden.

Daarom luisterde hij mee naar het verhaal van de IJskoude Teng.

De geur van bloed
en eeuwenoude rum

door Tais Teng

'Ik snap niet wat hier de lol van is,' klaagt Jasper. 'Al die aangespoelde troep.'

'Ik vind het anders wel spannend,' zegt Ron. Wat is Jasper toch een ongelooflijke zeur. Altijd iets te miepen.

Hij dringt naar voren tot hij vlak achter de rondleider loopt. Het Juttersmuseum is in ieder geval een stuk leuker dan de vorige excursie met de klas. Het dierenasiel stonk naar schimmelende kattenbrokken en hondenpis. In de gangen galmde het nog erger dan in een Sportfondsenbad. En die stomme teckels zich maar schor keffen.

'In de volgende zaal bewaren we de betere spullen,' zegt de rondleider. 'Voorwerpen uit vroegere tijden, van voordat al die plastic bierkratten en afwasflesjes aanspoelden. Sinds schepen alles in containers vervoeren is de lol van het strandjutten er een beetje vanaf.'

Jutters zijn types die na een storm het strand afzoeken, heeft de meester verteld. De zee spoelt kisten aan van vergane schepen, netten met kokosnoten, balen zijde.

De rondleider ziet er trouwens zelf als een echte jutter uit, vindt Ron: een rafelige schipperstrui, groene laarzen met teervlekken en een ouderwetse ijsmuts. Cool.

Als Ron over de drempel stapt, knijpt hij zijn ogen dicht en ademt hij diep in. Andere mensen onthouden hoe iets er uitziet of maken foto's, voor Ron is de geur het belangrijkst.

Deze zaal stelt hem niet teleur. Hij ruikt weids, naar de oceaan en zonovergoten stranden. Ron kan de meeuwen bijna horen krijsen.

De rondleider tilt een glazen bol uit een rieten mand en

blaast. Stof wolkt op. 'Hier lag het strand vroeger vol mee na elke storm. Weet iemand wat het is? ...Nee, niet van een verzopen waarzegster. Zoals dat meisje met de paardenstaart zo guitig opmerkt. Ook geen bevroren kwal.' Met zijn trouwring tikt hij op het glas. 'Dit geval is hol, een drijver. Vissers knoopten ze aan de randen van hun net vast.'

Tosca steekt haar vinger op. 'Spoelen die nog steeds aan, meneer?' Ron hoort de gretigheid in haar stem. Tosca is erger dan een ekster. Ze verzamelt de meest idiote zaken. Zelfs koekoeksklokken en porseleinen olifantjes, heeft Ron gehoord.

'Tegenwoordig gebruiken vissers helaas drijvers van piepschuim. Deze is nog van groen glas. Minstens zestig jaar oud.'

Onder het plafond van de volgende zaal hangt een houten zeemeermin waarvan één staartvin is afgebroken. De rondleider stevent op een vitrine vol kleurige vissen af. 'Ons aquarium, jongens en meisjes.'

Pas van dichtbij ontdekt Ron dat de vissen uit plastic doppen en platgetrapte blikjes gemaakt zijn. Oude kammen vormen de vinnen. Verdraaid knap gemaakt, denkt hij. Ik wou dat ik ze kon meenemen. Voor het eerst van zijn leven begrijpt hij Tosca's verzamelwoede. Ron zou de complete kast naar huis willen slepen. De ene vis is nog mooier dan de andere en ze horen allemaal bij elkaar.

'Spoelden er wel eens spullen van piraten aan?' vraagt Tosca. 'Ik bedoel van die kisten met schatten?'

Ron grijnst. Ieder ander zou het om de schatten gaan. Tosca niet. Als zij een kist vond, zou ze meteen alle ducaten en parelsnoeren in het zand kieperen. Piratenkisten zijn immers veel zeldzamer dan goudstukken?

'Sorry meisje,' zegt de rondleider. 'Om een of andere reden leveren jutters hun aangespoelde schatkisten zelden bij ons in.' Hij opent een eikenhouten muurkastje. 'Nu we het toch over piraten hebben, dit is onze enige originele piratenfles. Zie je hoe hoekig hij is? Rumflessen hadden gewoonlijk deze vorm.'

'Piraten dronken uitsluitend rum,' merkt hun leraar op. 'Van een slok water werden ze meteen ladderzat.'

Niemand lacht om zijn grapje. Zoals gewoonlijk.

'Kan er nog iets in zitten, meneer?' vraagt Jasper. 'Een geheime boodschap of een schatkaart bedoel ik.'

'Wie weet? Met al die aangekoekte zeepokken kun je natuurlijk moeilijk door het glas heenkijken. In zo'n fles zou best wel eens een schatkaart kunnen zitten...' hij schudt de fles heftig op en neer, 'als ik dit doe, hoor ik tenminste iets rammelen.'

'Waarom breken jullie hem niet stuk? Of eh, gewoon de zeepokken eraf schrapen?'

'We hebben in het Juttersmuseum schatkaarten zat. In elke tiende fles zit wel een schatkaart of een liefdesbrief. Een aangespoelde piratenfles is veel zeldzamer.' Hij zet de rumfles terug in het kastje.

Schatkaart me hoela, denkt Ron. Die kerel kletst maar wat. Er zit een schip in. Hij ziet het haarscherp voor zich. Een reusachtig piratenschip, ja. Met krakende masten en bloedrode zeilen ploegt het door de gouden zee. Golven van rum spatten tegen de boeg. Hoog boven de masten welft een hemel van flessengroen glas.

Ron knippert en het beeld verdwijnt. De rotsvaste overtuiging blijft: in de fles zeilt een prachtig schip. Niet echt natuurlijk. Geen schip van zestig meter kan ooit in een rumfles passen. Een model. Het mooiste modelschip van de wereld.

'Ze weten het niet eens. Ze laten het prachtigste flessenschip verstoffen in een duf achterafzaaltje.' In je hoofd hoor je je gedachten meestal alsof je zelf spreekt. Deze stem klonk echter als het grommen van de branding, het fluiten van de de stormwind in de zeilen. Een piratenstem, denkt Ron. Ik wist niet dat ik zo'n fantasie had.

'Zo'n schip hoort in een jongenskamer thuis. Op de plank boven je computer.'

'Ik heb nog nooit iets gestolen,' protesteert Ron. Hij weet dat hij eigenlijk tegen zichzelf praat, maar dat punt is belangrijk. 'Mensen kunnen me vertrouwen.' Helemaal waar is het niet. Jaren geleden heeft zijn moeder hem betrapt toen hij wat muntgeld uit haar portemonnee wurmde. Om spekkies te kopen in de winkel op het Godellaplein. Zijn oren worden nog steeds rood als hij aan dat afschuwelijke moment terugdenkt.

'Mooie dingen horen toch niet verborgen te blijven? Het is je plícht het schip te redden.'

Rons handen beginnen te tintelen. Zonder de fles lijken ze vreselijk leeg.

Een nieuw beeld glipt Rons hoofd in. De rumfles glittert in het licht van zijn bureaulamp. Ron heeft het van kurk tot bodem schoongekrabt tot er geen zeepok, geen kloddertje teer meer tegen het glas kleeft. Elk koord van de tuigage is nu zichtbaar, het boegbeeld van de gevleugelde haai, de piepkleine kanonnen.

'Neem de fles,' dringt de stem aan. 'Je moet het niet als diefstal zien. Je redt een kunstwerk. Stel je voor dat een of andere idioot een prachtig schilderij bij zijn kliko heeft gezet? Een Rembrandt? En je hoort de vuilniswagen al bij de hoek gieren?'

De stem heeft gelijk. Ron kijkt schichtig om zich heen: de anderen slenteren al een zaal verder.

Alleen omdat het zonde is om een kunstwerk te laten verstoffen, vertelt hij zichzelf. Mooie schepen zijn er om bewonderd te worden.

Hij reikt omhoog en propt de fles in zijn rugzak.

Thuis zet hij de fles op zijn bureau. In het daglicht lijkt de rechthoekige fles kleiner dan eerst en voornamelijk smerig. Grauwe zeepokken kleven tegen het glas, zeepokken en kroezerige draden zeewier. De geur die hem eerst aan de oceaan en een zonovergoten strand deed denken, is veranderd in de stank van rotte vis. Nee, van vis die al gerot heeft, eeuwen en eeuwen geleden, en nu tot harde, mummieachtige flinters verdroogd is.

Shit, dit is troep. Waardeloze oude troep die aan de vloedlijn had moeten blijven liggen.

Ik heb gestolen. De bodem lijkt uit zijn maag te vallen. Deze fles is niet van mij, hoe waardeloos ook. Ik ben een dief. Hij voelt zich opnieuw zes jaar. Dezelfde hulpeloze schaamte als toen zijn moeder hem betrapte.

Twee, drie seconden overweegt hij de fles in de kliko te dumpen, helemaal onder de vuilniszakken weg te duwen. Nee, dat maakt het alleen maar erger. Iets jatten en het dan nog weggooien ook.

Maak hem schoon, zegt hij tegen zichzelf. Dat is het minste wat je kan doen. Hij klapt zijn zakmes open, schraapt lusteloos over de zeepokken.

Zodra de eerste plak zeepokken van de fles wegkruimelt, stokt de adem in zijn keel. Achter het glas glanst een rij perfecte mini-kanonnen.

Ik had gelijk! Er zit echt een schip in!

Elk spoor van spijt, van schaamte verdwijnt. Met het puntje van zijn tong tussen zijn tanden begint Ron fanatiek te schrapen. In zijn ogen glanst een vreemd lichtje. Tosca zou het misschien herkend hebben.

Het glas komt verrassend helder onder de zeepokken vandaan. Nergens krassen of doffe plekken.

Het piratenschip zelf dobbert op een bodempje stroperige rum: een prachtig miniatuurtje, niet veel langer dan zijn

duim. Het scheepje moet trouwens behoorlijk stevig zijn. De manier waarop de rondleider met de fles schudde... Nog een wonder dat de masten niet afgeknapt zijn.

Wat een ongelooflijk priegelwerk trouwens. Drie masten, niet minder dan tweeëndertig kanonnen.

Hij brengt zijn vergrootglas aan zijn oog. Dat piepkleine figuurtje achter het stuurwiel moet de kapitein zijn. Een breedgeschouderde kerel met een wilde baard. Geinig, in zijn riem steken niet minder dan zes pistolen.

Boven in de hoogste mast wappert een zwarte piratenvlag. De kapitein vond een schedel met gekruiste beenderen waarschijnlijk afgezaagd. Op deze vlag danst een gehoornd skelet met een speer en een zandloper. Rechts staan een hart en drie ballen die misschien kanonskogels zijn.

Als Ron ten slotte om half elf onder de dekens kruipt, laat hij het bedlampje aan. Zijn fles staat onder handbereik, op het nachtkastje. Ron kijkt er in stille bewondering naar. Niemand heeft zo'n prachtig schip. Niemand.

Ron opent zijn ogen in een zoemende stilte. Een gouden gloed omgeeft hem, alsof de lucht tot honing gestold is. Zijn kamer is verdwenen en hij ligt op harde planken.

Een droom, denkt hij. Kan niet anders, want ik ruik niets. Geen enkele geur.

Hij bonkt met zijn elleboog tegen de vloer. Wel verdraaid harde planken voor een droom, gaat het door hem heen. Hij krabbelt overeind.

Zonder enige waarschuwing kantelt de vloer naar links. Hij zwaait met zijn armen, stommelt door de kamer en bonst met zijn schouder tegen de muur.

Deining. Ik ben aan boord van een schip!

Ron voelt een steek van vreugde. Mijn schip! Ik mag op mijn eigen modelschip meevaren.

Het enige raam van de kajuit bestaat uit honderden ruitjes ziet hij. Ja, vroeger konden ze nog geen grote platen glas maken. Hij herinnert zich de glazenier die dat bij *Het Klokhuis* vertelde. Een beetje raam moest in elkaar passen als een legpuzzel.

'Eens kijken waar we hier varen,' mompelt hij. Met de mouw van zijn pyjama veegt hij de condens van het glas.

Ah, dit is het betere uitzicht. Gouden golven deinen onder een groene hemel. Boven de einder hangt een omgekeerd kruis van heldere sterren.

De golven zijn natuurlijk van rum en dat groen moet de kleur van het flessenglas zijn. Wat een prachtige droom! Alles klopt.

Een vogel duikt omlaag. Ron kijkt geïnteresseerd toe terwijl de vogel van een stipje tot een klapwiekende vlek groeit. Vast een albatros, zo'n sneeuwwitte giga-meeuw. Nee, dat toch niet. De vogel zwiert recht op het raam af, zwenkt pas op het allerlaatste moment. Een oorverdovende krijs snijdt dwars door het glas.

Verstijfd van angst kijkt Ron de aasgier na. Het beeld heeft zich in zijn hersens geschroeid. Die walgelijk kale nek, de gele ogen, een snavel als een enterhaak.

De punt van de vleugel heeft een veeg druipende smurrie op het glas achtergelaten.

'Niet helemaal wat je had verwacht, jongen?'

Rons hart slaat een slag over en hij blikt verwilderd de kajuit rond. Nee, de zeeroversstem kwam vanachter de gesloten deur.

Treden kraken alsof iets loodzwaars de scheepstrap afwankelt. Tussen elke moeizame voetstap zitten lange seconden. 'Ik ben je gastheer. De kapitein van dit schip.'

Een weeïge geur walmt de kajuit binnen. De stank van gistende rietsuiker, van bedorven stroop waarop blauwe schimmels woekeren. Ron kokhalst.

'Ga weg,' piept hij. 'Laat me met rust.'

'Zoveel jaren,' borrelt de stem. 'Meer dan tweehonderd. Je zult voor altijd leven, beloofde baron Samedi mij, maar je moet zelf voor de onderdelen zorgen, Zwartbaard. Voor elke rotte hand die van je pols valt. Voor tenen die de ratten afknagen.' Opnieuw kraakt een trede. 'Ik heb een nieuwe hand nodig, mijn vriend.'

Ron sprint op de punten van zijn tenen naar de deur toe, ramt de grendel in de koperen ring. Veilig. De stalen schuif is zo dik als zijn duim.

'Veilig?' lacht de stem. 'In míjn schip?' Met een triomfantelijk gegier knalt de grendel terug. De treden beginnen sneller te kraken, de ene loodzware stap na de andere.

'Een nieuwe linkerhand om te beginnen. Die van jou.'

Een pijnscheut jenst door Rons arm en hij schreeuwt het uit. Ongelovig staart hij naar zijn hand. Een onzichtbaar mes krast een rode schram, helemaal rond zijn pols. Druppels wellen op. Het bloed is een rijk, fonkelend rood.

De voetstappen stoppen vlak voor de deur.

'Open je ogen!' Het is een schrille meisjesstem, zonder een spoor van zeegegrom of orkaangegier. Op hetzelfde moment valt de gouden gloed weg.

Tosca's gezichten vullen het volledige raam. Honderden gezichten. Elk ruitje is een piepklein tv-schermpje geworden dat haar slapende gelaat toont.

'Word dan toch wakker!'

Tosca. In dromen kan weinig je verbazen, in nachtmerries helemaal niets.

'Ik heb mijn ogen al open,' jankt Ron. 'Wijdopen!' Hij brengt zijn handen vertwijfeld naar zijn gezicht, krabt aan zijn ooghoeken. 'Kijk maar!'

'Dat zijn je echte ogen niet, oen. Dit is geen normale droom. Hij heeft je zijn wereld in getrokken. Als je hier doodbloedt, word je nooit meer wakker.'

'Maar ik weet niet hoe ik...'

'O jij... Ik zal het voordoen.'

In de ruitjes openen honderden slapende Tosca's hun ogen. 'Zie je?'

Rons oogleden beginnen prompt te kriebelen, een spiertje krampt in zijn rechterooghoek en ineens is het doodeenvoudig. Even makkelijk als met je oren wiebelen.

De kajuit verdwijnt als de spiegeling in een versplinterende autoruit. Ron knippert tegen het licht van zijn nachtlampje. Hij is terug op zijn kamer. In de fles op zijn nachtkastje zeilt het piratenschip onverstoorbaar door over een zee van rum.

Ron heft zijn hand op. Een rode striem omcirkelt zijn pols. Alsof iemand net begonnen was zijn hand af te snijden. Nee, dit was geen droom, geen nachtmerrie. Het was iets eindeloos veel gevaarlijkers dan een nachtmerrie en het is vast nog niet voorbij.

De kapitein. O mijn god, de kapitein stond op het achtersteven, aan het stuurwiel. Als hij...

Met de grootste tegenzin pakt Ron het vergrootglas. Hij slaakt een zucht die hij tot in zijn onderbuik voelt. De kaperkapitein is vanachter het stuurwiel verdwenen.

Ron schiet zijn kleren aan, sluipt de trap af. Hij houdt de fles met een gestrekte arm voor zich uit, zo ver mogelijk van zich vandaan.

In de bijkeuken legt hij de fles tussen twee bakstenen op de betonnen vloer en tilt de mokerhamer van het rek. Vijf kilo smeedijzer, daar heeft geen betoverde spookfles van terug! Hij stapt achteruit, laat de hamer neersuizen.

Geen splinterende klap, geen rondspattende scherven. Alleen een weke plop. Ron staart naar de vervormde kop van zijn mokerhamer. In het ijzer gaapt de afdruk van de flessenhals, van de kurk. Alsof de hamer uit natte boetseerklei gesmeed is. Op de fles zelf staat geen krasje.

Ron hoort de hamer op de vloer kletteren. Hij smakt de keukendeur achter zich dicht en vlucht de trap op.

Als hij de deur van zijn kamer opent, fonkelt de fles in de lichtcirkel van zijn nachtlampje.

Ron blijft op de drempel staan. Hij is te bang om zijn kamer binnen te stappen.

Ik heb hulp nodig. Tosca.

Met brandende ogen ziet Ron de zon opkomen achter het keukenraam. In zijn linkerwang trekt een spiertje. Hij zou zijn ogen dolgraag sluiten, al is het maar voor een moment. Slapen is echter het laatste wat hij durft.

Nog twee uur en ik kan naar school. Tosca om hulp vragen, nee, smeken. Ze kroop mijn droom binnen en zoiets lukt normale mensen niet. Ze moet speciale krachten hebben, magische krachten. Zulke meisjes noem je heksen.

Ron wacht buiten de fietsenstalling tot Tosca haar mountainbike op slot heeft gezet.

'Ik heb iets voor je,' zegt hij plompverloren en steekt haar het slordig ingepakte doosje toe. Heksen geven hun hulp nooit zomaar, weet hij.

'Aardig olifantje,' zegt Tosca. 'Eentje van ebbenhout had ik nog niet.' Ze kijkt hem aan. 'Waar heb ik dit kado aan te danken?'

Oh shit, denkt Ron. Straks denkt ze nog dat ik verliefd op haar ben. 'Ik, eh, ik had een vreemde droom. Over...'

'Gisternacht droomde ik over een schip op een gouden zee,' onderbreekt ze hem. 'Boven de masten cirkelden vale gieren. Het was een dodenschip en de zeilen waren bloedrood. Ik hoorde je gillen.'

'Je zei, je zei dat ik mijn ogen moest openen.' Het is of Ron Tosca voor het eerst ziet. Werkelijk ziet en ze heeft niets magisch. Lang, sluik haar waaruit de krul net begint weg te zakken, misschien iets te mollige armen. Geen babe, maar beslist niet lelijk genoeg om een heks te zijn.

'Tosca.' Hij is doodsbang dat ze hem in zijn gezicht zal uitlachen. 'Tosca, ben je een heks?'

'Zoiets, ja,' zegt ze achteloos. 'Ik heb bepaalde krachten.' Ze leunt naar voren. 'Je was in Yldorgei, in het land voorbij de diepste slaap. In Yldorgei worden dromen en nachtmerries waar. Als je daar verdwaalt, zul je nooit meer wakker worden.' Ze slaat haar armen over elkaar. 'Gewone mensen dringen zelden zo diep in Yldorgei door. Denk terug. Je moet iets magisch gebruikt hebben voor je in slaap viel. Een spreuk, een talisman.'

'Ik heb een scheepje in een fles. Gisteren... Ik stal het uit het Juttersmuseum.'

'Sla de fles stuk,' zegt Tosca. 'Stamp op het schip tot er enkel splinters overblijven.'

'Dat probeerde ik gisternacht. Mijn hamer smolt.'

'Lastig. Goed, vertel me alles over je droom. Sla geen detail over.'

Als Ron klaar is met zijn verhaal, knikt Tosca.

'Zijn naam was dus Zwartbaard en hij had het over baron Samedi,' zegt ze. 'Zwartbaard zegt me niks. Het klinkt als een stripfiguur. Baron Samedi is een andere zaak.'

'Wie is baron Samedi?'

'De god van de dood, de meester van de zombies. Hij komt uit Haïti. Een van die bloedhete voodoo-eilanden vol palmbomen en piraten. Baron Samedi kan de doden tot leven wekken.' Ze pakt Ron bij de arm. 'We gaan naar mijn huis. Mijn ouders logeren bij een klant in Parijs. Niemand zal ons storen.'

'Maar... De school. Ik bedoel, Tosca, we kunnen toch niet zomaar wegblijven?'

'Je bent te moe om je ogen open te houden, ja? Als jij onder de les in slaap valt, word je waarschijnlijk wakker met een afgehakte hand. Of zonder hart. Nee, met z'n tweeën dromen is veiliger.'

'Wow, dat ziet er compleet uit.' IJverig tikkende koekoeksklokken beslaan de volledige linkermuur van Tosca's kamer. Op een schap boven haar bed marcheert een kudde olifantjes, geen twee hetzelfde.

'Gelukkig nog niet compleet,' zegt Tosca. 'Dan is er geen lol meer aan.'

Tosca trekt een fles met afgeronde hoeken uit het sokkenmandje van haar klerenkast.

'Sluit je ogen,' commandeert ze. 'Ik neem je mee naar Yldorgei. Naar baron Samedi.'

Slaap slaat in een zoemende golf over Ron heen en als hij zijn ogen opent, schemert het.

'Tosca?'

'Hier.' Ze grijpt zijn hand vast. Haar greep is te krampachtig, absoluut niet relaxed, en haar handpalm glibbert van het zweet.

Ze is bang, realiseert Ron zich. Doodsbang.

Een immens veld zerken omringt hen, een woud van schots en scheve grafstenen dat van horizon tot horizon reikt. Laag in het oosten fonkelt een omgekeerd kruis van groene sterren.

'Wat brengt je hier, Tosca? Levensmoe soms?' Een neger balanceert op één been op het hoofd van een stenen engel met een afgebroken zwaard. De god van de dood draagt een smetteloos witte smoking. 'Heb je aan een offer gedacht, meisje?'

'Een fles rum, baron. Eerste kwaliteit. Vangen.'

Baron Samedi plukt de fles moeiteloos uit de lucht en bijt de bovenkant van de hals af. Hij spuwt de kurk in een regen van glassplinters uit.

'Een hele liter, Tosca. Wou je me soms dronken voeren?'

Baron Samedi zet de fles aan zijn lippen. Zes tellen later is de rum tot de laatste druppel in zijn keel gegoten.

De god boert. 'Welnu, de vraag die jullie nog niet gesteld hebben. Zwartbaard dus. Tja, hij was een man naar mijn hart. Weet je, een keer stapte hij het ruim binnen en schoot hij al zijn zes pistolen leeg op zijn eigen mannen. Toen de overlevenden hem vroegen waarom hij dat gedaan had, antwoordde hij: 'Jullie sidderden niet toen ik binnenstapte. Daar wilde ik iets aan doen.' De god schudt zijn hoofd in bewondering. 'Zwartbaard dobbelde met mij om het eeuwige leven. Natuurlijk won hij, want ik was ladderzat zoals gewoonlijk en hij een volleerd valsspeler.' De god wipt een oog uit de kas, wrijft het over de mouw van zijn smoking en plopt het terug. 'Hij won de onsterfelijkheid, maar ik had hem niks beloofd over zijn lichaam. Dat was maar goed voor zo'n tachtig, negentig jaar. Als zijn neus eraf viel of zijn hart stopte, moest hij zelf naar een nieuwe op jacht.'

'Net als het monster van Frankenstein,' zegt Tosca.

'Alleen was het monster een verzinsel,' zegt baron Samedi. 'Zwartbaard is echt.' De god kijkt Ron aan en het is alsof een ijskoude vinger over Rons oogbollen aait. 'Een houngan, een machtige voodoomeester legde een betovering over Zwartbaards fles. In de fles bevaart Zwartbaard zijn eigen zee, die even wijd als jullie oceanen is. Niets kan hem daar deren. Geen aardse hamer kan het betoverde glas splijten, geen enkel menselijk wapen.'

'Je kunt ons niet helpen?' vraagt Tosca.

'Dat zei ik niet.'

Een bleke stok ploft aan Rons voeten neer. 'Dit is mijn eigen staf. De toverstaf van een god kan elke betovering verbreken. Je mag hem lenen.'

'Maar waarom help je me?'

'Och jongen, ik ben dol op smerige rotstreken en verraderlijke geintjes. Bovendien heeft Zwartbaard nog iets te goed van mij. Hij was de enige die mij ooit met dobbelen heeft durven bedriegen.'

Als Ron ontwaakt, zit hij naast Tosca op haar bed, met zijn rug tegen de muur. De staf ligt tussen hen in.

'Ik heb hem nog nooit zo vrijgevig gezien,' zegt Tosca. 'Hij moet een bloedhekel aan die piraat hebben.'

Ron duwt de deur van zijn kamer met zijn schoenpunt op een kier open.

'Daar,' fluistert hij. 'Naast mijn bed.'

'Bijna zonde om hem stuk te slaan,' zegt Tosca. 'Als je piratenschepen-in-flessen verzamelde, zou dit je pronkstuk zijn.'

'Moet ik nu iets zeggen? Een toverspreuk?'

'Gewoon een keiharde hengst op de fles geven lijkt me genoeg.'

Ron haalt zijn arm naar voren, zwiept de staf omlaag.

Het glas versplintert, valt uiteen tot glitterend zand. De stank van alcohol en oeroude suiker kolkt door de kamer, doet Ron naar zuurstof happen.

Met tranende ogen ziet hij het schip veranderen. De masten schieten omhoog. De romp vouwt zich razendsnel om Ron heen.

De muren van de kajuit omsluiten hem. Achter het raam klotst de reusachtige gouden oceaan.

'Tosca!' schreeuwt hij. 'Tosca! Help me!'

Geen antwoord. Hij is alleen. Dit is Tosca's droom niet.

Ditmaal draait de deurknop helemaal omlaag. Zwartbaard vult de deuropening. In zijn baard smeulen lonten en de rook wolkt om een gezicht dat meer gelig bot dan levend vlees is.

'Mijn schip legde tweehonderd jaar geleden aan bij een vissersdorp,' zegt Zwartbaard. 'Ik oogste een oog, een nieuw

been en een rappe tong. De vissers klaagden bij hun heksenmeester.'

Ron drukt zich tegen het raam tot het glas begint te kraken. Zwartbaard doet een stap naar voren; Ron kan nergens meer heen.

'Helaas, helaas was hun tovenaar uiterst bedreven in de magie en nogal wraakzuchtig. Mijn nieuwe tong was namelijk van zijn oudste zoon afkomstig. Hij sloot mij en mijn schip op in een fles van onbreekbaar glas. De fles wierp hij vervolgens in zee.' Zwartbaard schudt droevig zijn hoofd. 'Ik was machteloos. Opgesloten in mijn fles kon ik mijn slachtoffers alleen in hun dromen bereiken. Als ik daar een arm afrukte of een oor wegsneedt, schrokken ze prompt krijsend wakker. Met arm en oor nog stevig vast.'

'Maar, maar...' Ron heft zijn arm op. De striem is een vuurrode streep. 'Je probeerde mijn hand af te hakken!'

'Ik liet je met je eigen nagel over je pols krassen. In je slaap. Ik wilde je bang genoeg maken om de fles te breken en mij te bevrijden.'

Vier, vijf bonkende stappen en de piraat pakt Rons linkerpols vast. Er is niets onechts of dromerigs aan zijn keiharde greep. 'Je hebt hier geloof ik iets wat eigenlijk van mij is?'

'Soepjes van afgehakte handen, hè?' zei Els Rooijers. 'Nou je erover begint, ik krijg trek. Waar zitten de kakkerlakken hier aan boord?'

'In het onderste ruim waarschijnlijk,' zei de voorzitter afwezig. 'Het luik is voorin op het dek. Je moet er bovenlangs naar toe.'

Els verdween uit de kajuit. De anderen hoorden haar voeten klossen.

'Ah, jullie zijn er nog,' zei Jaques de Afwezige Weijters die uit de Tussentijd te voorschijn kwam. 'Ik dacht dat jullie wel aan dek zouden willen gaan.'

'Hoezo? Is de storm een sneeuwstorm geworden?' vroeg Tais Teng verlekkerd. Hij grabbelde in zijn koelbox, maar vond alleen wat smeltwater.

'Nee, er is land in zicht. De kust van Engeland.'

Hij was nog niet uitgesproken of iedereen verdrong zich al in het gangboord. Sneller dan Weijters zelfs in de Tussentijd kon verdwijnen, waren ze aan dek. Daar stond Els Rooijers al. Met strak naar achter wapperend haar keek ze in de verte en brulde iets naar de andere GG-leden die om haar heen kwamen staan.

'Kijk!' schreeuwde ze. Ze strekte haar vinger. Henk van Kerkwijk volgde hem met zijn blik. 'Hee, hoera! Whitby! Ik herken de vorm van de rotsen.'

'Hoe lang nog voor we er zijn?' vroeg Paul.

Henk keek omhoog, waar de zeilen te bol stonden om te kunnen klapperen.

'Uurtje of twee nog,' brulde hij.

'Mooi,' riep Jaques, die er opeens weer was, boven het natuurgeweld uit. 'Hoor eens Van Loon, ik zou je nog uitleggen over verhalen die echt zijn als je erin zit.'

'Wartaal,' zei Hans van de Waarsenburg, maar dat hoorde niemand door de gillende wind.

'Laten we beneden verder praten,' zei de voorzitter. 'We zijn er nog lang niet.'

Iedereen, op Tais na, volgde hem benedendeks. Weer langs die roerloze, zwijgende stuurman die in zijn samengebonden handen een crucifix geklemd hield.

In de kapiteinskajuit zei Jaques: 'Stel nou dat dit een verhaal is. Wij zitten er middenin. We wéten natuurlijk niet dat het een verhaal is, dus we denken dat alles om ons heen echt gebeurt.'

'Jaja,' zei de voorzitter. 'Ik geloof dat ik je begrijp. En wie schrijft dat verhaal dan wel?'

Jaques haalde zijn schouders op. 'Daar probeer ik al de hele tijd achter te komen. Het lukt me niet. Ik heb ook geprobeerd de nooduitgang te vinden.'

'De nooduitgang?' De voorzitter trok zijn wenkbrauwen hoog op boven de randen van zijn donkere bril.

'Als een verhaal een begin heeft, de ingang zeg maar, dan is er ook een uitgang. En wie weet ook een nooduitgang.'

De Eeuwige, die zijn reservehoed – een namaak Borsalino – had opgezet knikte. 'Ik geloof dat Weijters op het goede spoor zit,' zei hij. 'Boeiend, een verhaal met een nooduitgang…'

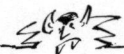

Titanic

door Jaques Weijters

'Iceberg straight ahead!'

Pol schoot rechtop in zijn stoel. De stemmen van de andere filmbezoekers verstomden, hij hoorde alleen hier en daar wat gekraak van popcorn. Nu werd het spannend!

Het begin van de film *Titanic* had hij wel aardig gevonden: de moderne duikboot die met verblindende koplampen en Starwarsgeluiden naar het wrak dook op zoek naar een dure diamant, maar daarna was er een saai, romantisch deel gekomen met Kate Winslet in de hoofdrol. Veel te oud en wat mollig voor een meisje van zeventien, vond Pol. Hij was onderuit in zijn stoel gezakt en wenste dat hij naar de griezelfilm in het oude filmhuis was gegaan. Maar ja, dan had hij niet de nieuwe superbioscoop van binnen gezien. Niet dat het veel soeps was.

Tot het moment dat vanuit de stikdonkere zee die joekel van een ijsberg opdoemde. 'Iceberg straight ahead!' Nu ontstond er paniek aan boord van het luxe schip.

Pol ging rechtop zitten, eindelijk actie! De Titanic draaide langzaam naar links, de stuurman stond te zweten in de kajuit, het schip miste de ijsberg op een haar na. Zo leek het aan dek. Maar onder in het schip prikte de ijsberg gaten in de stalen wand, als in een plastic bekertje. Daar verdronken nu al de eerste mensen.

Boven, in de eerste klasse, was daar nauwelijks iets van te merken. Hier trilde een kristallen glaasje water, daar rammelde een bord met gouden randje. Intussen zakten beneden de stalen nooddeuren al en glipte de laatste machinist er maar net onderdoor.

Onwillekeurig rilde Pol. Te weten dat het verhaal van de Titanic echt gebeurd was, maakte hem een beetje misselijk.

De mensen uit de derde klasse zaten als ratten in de val, terwijl boven de mensen zeker wisten dat de Titanic helemaal niet kón zinken, dat was juist het speciale van dit schip.

Het water steeg en er werden reddingsvesten rondgedeeld. De kapitein stond wezenloos voor zich uit te staren. Met zo'n sukkel als leider was je goed af in tijden van nood, vond Pol. Dat alle mensen in de derde klasse zouden verdrinken was duidelijk. Er waren veel te weinig sloepen voor de 2200 mensen aan boord.

De paniek werkte besmettelijk: het koude zweet stond Pol in de schoenen. Hij voelde het zelfs. Hij schopte voorzichtig zijn schoenen uit. Wat was dat? Water op de grond? Had iemand een flesje omgekieperd?

'Shit!' zei hij zachtjes, maar hij hoorde nu ook andere mensen bewegen. Hij wiebelde wat met zijn voeten, niet wetend wat hij hiervan moest denken. Stel je voor, de hele bioscoopzaal onder water! Steengoed moment voor een lekkage, dat moest hij toegeven. Of misschien was het ongein van de eigenaar; die had de vloer onder water gezet om iedereen de hele ramp mee te laten beleven.

'Geniaal!' grinnikte Pol.

Op het witte doek waadde Rose tot haar heupen door het ijskoude water in een van de diepgelegen gangen. 'Jack? Where are you? I'm freezing!' Zou het water bij haar net zo koud zijn als het water dat nu al over Pols voeten kroop?

Ach nee, tuurlijk niet; een ster als Kate Winslet zet je niet tot haar heupen in ijskoud water, stel je voor dat ze ziek wordt terwijl de film nog niet af is, dacht Pol. Veel te duur. Haha, wedden dat het water bij haar dertig graden is? Minstens.

Voor hem stond een meisje mopperend op. Ze strompel-

de op hoge hakken door het ijswater naar de uitgang. Op de voorste rijen, waar het water natuurlijk hoger stond, klommen een paar jongens lenig op het podium. Ze stonden nu heel klein onderaan het enorme scherm.

Opeens was het donker. De film kraakte nog even en stopte abrupt, de lampjes bij de stoelen en zelfs de bordjes UIT boven de deuren en de nooduitgangen doofden.

Pol wist niet of dit erbij hoorde. Het was nu wel heel donker in de zaal. Een man vloekte luidkeels. Mensen waren opgestaan, maar botsten steeds tegen anderen en tegen stoelen aan. Het water stond nu al tot Pols knieën. De vrouw naast hem begon te hyperventileren.

Ineens gingen de lampen aan. De noodvoorziening natuurlijk. Pol was opgelucht, al zou hij dat niet laten blijken. Alles was natuurlijk altijd goed geregeld in een bioscoop waar elke avond zoveel mensen zaten.

Toch was er nu iets heel bijzonders aan de hand. Dit kon niet. Pol kneep zijn ogen dicht en weer open. Alle stoelen waren weg. Er hing geen doek meer. De lampen bleken kroonluchters, de deuren hadden glas-in-loodramen. 'Wauw!' gilde hij, tegen het gevoel in dat zijn keel werd dichtgeknepen. De bioscoopzaal was veranderd in een van de zalen in de Titanic. Hier waren Steven Spielberg en George Lucas niks bij!

Een van de deuren werd moeizaam, tegen de waterdruk in, opengetrokken en een man in een wit pak zei dat alle aanwezigen hem moesten volgen naar een hoger dek. Een echte steward, net als op een schip! Pol gniffelde en liet zich meevoeren. Dit was echt prachtig in elkaar gezet, hij zou zweren dat hij op de Titanic was! Glunderend keek hij om zich heen. Tot zijn stomme verbazing was iedereen opeens verkleed. Kostuums uit de film! En hij... shit, gewoon zijn eigen kleren.

Hoe hadden die anderen dat zo snel voor elkaar gekregen? Of waren zij niet úit de film gestapt, maar híj... Onzin natuurlijk. Onmogelijk. Maar waarom keken ze zo bedrukt? Ze speelden goed mee, dat moest hij toegeven. Ze verdrongen zich bij de brede, ouderwetse deur. Sommigen leken echt in paniek. Iemand maaide met zijn armen om zich heen, om sneller naar buiten te komen.

Pol wilde eigenlijk nog niet naar buiten. Wat moest hij op straat, hier was het veel leuker. Hij probeerde zich achteruit te worstelen, maar de mensenmassa ging niet opzij. Hij werd naar de uitgang gedrongen, pal langs een van de deurstijlen geperst. De nerf van het hout schoof vlak langs zijn neus voorbij. Echt hout, geen printje, dat zag hij zo.

Ze kwamen niet in de hal van de bioscoop uit, maar in een smalle gang, net zo een als waar Rose in de film net doorheen liep te baggeren. Het water stond net zo hoog als in de film en het was beslist 'freezing'! Hé, dat meisje daar leek sprekend op Kate Winslet. Waar was haar minnaar Leonardo DiCaprio dan?

Pol grinnikte. Natuurlijk, die zat vast aan een buis, diep onder in het schip, dat hadden ze net gezien. In de kelder van de bioscoop wellicht. Haha, nou dan was hij nu wel verdronken. Kijk, daar baggerde de Italiaanse vriend, met wie Leonardo zat te pokeren daarstraks. Allemaal stand-ins en look-alikes zag hij nu. Dat kon niet anders. En figuranten. Toch?

Pol begon nu toch te twijfelen. Nergens leek het erop dat dit spel was. Die dure toneelkleren, zouden die allemaal naar z'n mallemoer mogen gaan in dit water? Het stonk zelfs naar echte zee. De bioscoop een beetje onder water zetten als de nieuwe vloerbedekking niet bevalt, oké, maar zóveel water!? En voor wie dan allemaal? Hij zag geen gewoon geklede mensen meer, geen sweatshirts en spijkerbroeken. Hij was de enige. Het leek wel of dit allemaal voor hem alleen werd opgevoerd. Dat leek hem sterk. De kou voelde als mespunten die venijnig in zijn heupen staken, zijn benen voelden loodzwaar en zijn voeten al gevoelloos van de kou. Dit kon geen geintje zijn. Dit doe je je klanten, bioscoopbezoekers, niet aan. Zou de hele stad onder water staan, net nu, toevallig tijdens deze film? Overlopende rivieren, smeltende poolkappen, of gewoon de hoofdleiding in de buurt gesprongen? Hij waadde nog steeds met de rest mee, de gang door, een hoek om. Het ijswater begon al tegen zijn ribben te spoelen. Aha, daar was een trap omhoog. Maar wacht, een trap? Hij was toch niet binnengekomen langs een trap? Moesten ze naar boven om gered te worden? Dan stond de stad echt onder water.

Pol wist dat de film waar gebeurd was, dat de 'onzinkbare' Titanic in 1912 echt was gezonken, maar hier was hij op het vasteland. Natuurlijk zou er niemand verdrinken. Voor de rest: allemaal avonturen! Hij stormde net als iedereen een hogergelegen ruimte op, gleed bijna uit over een glimmend geboende plankenvloer en bleef toen stokstijf staan. Voor zijn neus lag een spits toelopend scheepsdek. Een heldere, maanloze vriesnacht sneed in zijn gezicht, dwars door zijn T-shirt. Daarstraks was hij nog lekker zonder jas naar de bios gefietst. Nu stonden boven hem honderden sterren, die rondom het dek weerspiegeld werden in een bijna rimpelloze zee.

Pol hoorde zijn eigen gil toen hij hard in zijn arm kneep. Was dit een droom, de film of de afschuwelijke werkelijkheid? Kon hij op een of andere rare manier terug in de tijd en op de Titanic terecht zijn gekomen?

Zei daarnet op het doek niet iemand dat je het nog geen vijf minuten in dat ijskoude water uithoudt? 'Film, juist ja, dit was film, weet je nog, Pol,' mompelde hij tegen zichzelf. Maar waar hij ook keek, hij zag geen camera's, geen regisseur. Hij had gelezen dat een groot gedeelte van de film nep is. Opgenomen in een enorme badkuip, met veel trucs en

animaties van George Lucas en andere computerfreaks. Niks van te zien. Alleen maar schip, water en paniek.

'Hé, hallo!' schreeuwde hij om zich heen. 'Dit is maar film, hoor! Weten jullie nog? Cut, stop, halt, ho! Ik heb het koud, waar kan ik even pauzeren?'

Zijn geschreeuw ging verloren in de massa; iedereen schreeuwde door elkaar heen. Toch zag hij, te midden van de paniek, nog mensen die probeerden anderen gerust te stellen. Hij herkende de sussende gezichten, al verstond hij niet alles. Wonderlijk genoeg werden er opeens allerlei talen door elkaar gesproken in plaats van alleen film-Amerikaans. Uit houdingen en gebaren maakte hij op dat ze allemaal hetzelfde beweerden: we zullen gered worden, waar zijn reddingsboten anders voor, dit schip kan toch niet zinken, dus waarom al die drukte? Sommigen wilden niet eens in de reddingsboten. Waarom in zo'n ijzig klein bootje klimmen, terwijl het warm en veilig was op de Titanic? Het licht brandde, een orkestje speelde nog gewoon door, wat kon er dan helemaal mis zijn? Niks toch? Opeens zag hij Leonardo DiCaprio en Kate Winslet weer. Gelukkig, het was toch maar een film. De twee supersterren wrongen zich door de hysterische mensenmassa en kwamen recht op hem af. Op het doek zat Leonardo daarstraks nog geboeid onder in het ondergelopen doolhof van gangen en kamers. Nu was hij dus bevrijd. Pol liet DiCaprio passeren en toen Kate Winslet vlak voor hem langs schoof, stak hij zijn duim op. 'Hé, Kate, you're great!' Leuk gevonden, al zei hij het zelf. Kate keek hem een eeuwige seconde aan en glimlachte voordat ze meegetrokken werd. Hij vond haar opeens prachtig mooi, en zeker niet te oud. De enige echte Kate Winslet had hem aangekeken! Hem, de enige echte, totaal onbekende Pol Donders. Dat geloofde geen hond never ever.

Maar hoe kwam hij hier weg? Hij vond het leuk geweest.

Als dit de film was, en dat was zojuist bewezen, kon het geen ijswater zijn. Beroemdheden werden toch niet in ijswater gesmeten? Misschien kon hij er gewoon in springen en naar de kant zwemmen. Leuk om even mee te mogen doen en misschien kon hij zichzelf straks wel ergens terug vinden in de film.

Voor alle zekerheid keek hij nog eens goed om zich heen. Nergens camera's, spots of aan lange hengels zwevende microfoons. Alleen maar zee en sterren. Zouden ze verderop in het donker zitten, aan de rand van deze enorme badkuip, en met telelenzen werken om het hele schip erop te krijgen? En de close-ups dan? Die deden ze natuurlijk apart, later of zo. Kwestie van inmonteren.

Misschien was het verstandiger om nog maar even niet overboord te springen, en achter Kate en Leonardo aan te gaan. Die twee mochten zo dadelijk vast wel in een van de reddingsboten, dan kon hij mooi meeglippen als figurant.

Hij wrong zich door de menigte heen en passeerde nog meer hoofdrolspelers. De verloofde van Kate, met een pak dollars in zijn hand, stond druk te gebaren tegen een man met gouden banden om de mouwen van zijn uniform. Die etterbak was zijn redding aan het kopen! Ten koste van anderen natuurlijk.

Veel tijd om te kijken kreeg hij niet, voortdurend werd hij opzij geduwd of omvergelopen door figuranten, die blijkbaar moesten doen alsof ze in paniek waren en steeds heen en weer renden tussen de reddingsboten.

'Vrouwen en kinderen eerst!' hoorde hij iemand roepen.

Pol rende mee naar de reling. In een van de reddingsboten zag hij Kate weer. Haar verloofde stond erbij en werkte Leonardo, zijn rivaal, de boot uit. Alleen híj had een plekje op de reddingsboot tussen de vrouwen en de kinderen! Tot zijn verrassing zag Pol Kate boos worden. Wat speelde ze goed! Ze sprong uit de boot naar de reling van een lager

gelegen dek. Levensgevaarlijk! Was ze dit echt? Of misschien een stuntvrouw? Wat een film!

Pol had de echte Kate niet van plaats zien verwisselen met de stuntvrouw. Ze zat nu natuurlijk onder een jas of hoofddoek tussen de anderen in de boot. Knap gedaan.

Waah, de Titanic dook steeds steiler met zijn neus de zee in. Het was dat de filmsterren zo dichtbij waren, anders was hij nu niet zo rustig geweest. Wat moesten de figuranten doen? Naar het achterdek. Hij rende met de gillende meute mee, knap moeilijk op zo'n steil dek. Om hem heen schoven tientallen mensen gillend terug over de plankenvloer, door de grote snelheid vielen er een stel overboord. Pol greep de zijreling en worstelde zich mee omhoog naar het achterdek. Het werd steeds lastiger, de Titanic stond bijna rechtop in zee. Mensen vielen met bosjes te pletter op dikke buizen, schoorstenen en hekwerken, en daarna in zee. Wat mensen moesten doen om als stuntman aan de kost te komen!

Rondom het schip lagen al honderden mensen in zee. De meesten deden hun best om drenkeling te spelen, anderen dreven zomaar wat rond in hun zwemvesten. Die waren dus zogenaamd dood. Gelukkig waren Kate en Leonardo er weer. Samen met hen klom hij over de reling toen de achtersteven opnieuw uit zee omhoog rees.

De Titanic zakte snel in het water. 'Diep ademhalen als ik het zeg,' hoorde hij Leonardo tegen Kate zeggen. '…nu!' Pol haalde diep adem en stapte naast de twee in het water terwijl het schip onder hen wegzonk.

Nog voor hij het water raakte wist hij het al. Dit was mis. Hij krijste. Het water voelde alsof duizend ijzige messen in zijn lichaam staken, vele malen erger dan voorheen. Hij wist nog net opnieuw adem te halen voordat het enorme schip hem meezoog, de diepte in. Een zwemvest, waarom had hij geen zwemvest?

Dit leek helemaal niet meer op een film in een enorme badkuip! Met bolle wangen, suizende oren en de snijdende kou in zijn lijf worstelde Pol zich terug naar de oppervlakte. Om hem heen doken honderden hoofden op. Vlakbij gilde Kate de filmnaam van Leonardo: 'Jack!' Een man zonder zwemvest probeerde haar hoofd als reddingsboei te gebruiken. Keer op keer ging ze onder. Pol aarzelde. Hij wilde haar dolgraag redden, maar zíj had wel een zwemvest. Gelukkig dook Leonardo eindelijk op, 'Let go!' schreeuwend. Toen dat niet hielp, gaf hij de man een enorme dreun. In een spoor van luchtbellen zonk de man de diepte in. Al was het film, Pol kreeg hier nu toch een rotgevoel door. Was het echt wel film? Werd het dan geen tijd voor de reddingsscène? In dit ijswater hield hij het echt niet langer dan een paar minuten uit. Een golf vies zout water klotste in zijn mond toen hij adem probeerde te halen. Watertrappelend probeerde hij om zich heen te kijken, maar hij voelde zich al traag en slap worden. Alleen de stekende pijn leek minder te worden. Leonardo en Kate hadden een grote plank gevonden, waar Leonardo Kate nu op hielp.

Zoiets moest hij ook hebben. Hij schreeuwde het uit van geluk toen hij een deur vond om op te gaan liggen. Voorlopig was hij gered.

Het werd steeds stiller om hem heen. De mensen met zwemvesten aan dreven nog steeds, maar gaven geen enkel teken van leven meer. Die zonder zwemvest waren verdwenen.

Hij zag van Leonardo alleen nog maar het hoofd en een hand. De filmster hing aan de hand van zijn tegenspeelster in het water. Dat zag er miserabel uit.

Ik moet iets doen, dacht Pol. Zo vriezen we allemaal dood. Dit leek niet meer op film. Misschien was de hele club naar huis en waren ze vergeten dat zij hier nog in het donker lagen.

'Ik ga hulp halen,' probeerde hij tegen Kate te zeggen toen hij met zijn handen roeiend langs haar dreef. Maar het was niet meer dan een beetje gereutel en Kate lag zo maar wat naar de sterren te staren.

Pol was amper vijftig meter ver, toen hij de reddingsboot zag aankomen. Eindelijk! De roeiers roeiden voorzichtig tussen de drenkelingen door, terwijl een officier, staande en met een lamp in de hand, de zee afzocht. 'Hello!' schreeuwt hij. 'Is there anyone alive?'

Pol probeerde te roepen, maar hij kon alleen maar fluisteren. Hij probeerde te zwaaien, maar zijn armen wilden niet meer. Hij kon nog net een hand optillen.

Hij hoorde aan het geluid van de boot dat die wegdraaide. Hij begreep dat hij weleens dood kon gaan. Doodgaan. Hij probeerde aan het idee te wennen. Dat kon toch niet! Hij was pas twaalf, echt veel te jong. Hij dacht aan zijn ouders en zijn zusje. Stel je voor dat hij... Een snik welde omhoog in zijn keel.

Verderop hoorde hij stemmen. Kate was vast gered.

Hij kon niet zo goed meer denken. Vanuit het oosten begon de nacht langzaam te verkleuren. Een nieuwe dag. Een heldere, stralende dag, maar niet voor Pol. En ook niet voor die honderden drijvende lijken.

Pol kreunde en liet zijn hoofd moedeloos op de deur zakken. Die maakte een vloeiende beweging. Naar beneden! Pol schrok er niet eens van. Natuurlijk, het moest er een keer van komen.

De deur kantelde. Net als in de Titanic kwam hij rechtop in het water te staan. Het was alsof Pol ineens voor een echte deur stond. Sterker nog, het water viel van zijn lichaam. De deur draaide open en liet het daglicht binnen.

Nog nooit was Pol zo blij dat hij het gedender van verkeer hoorde. Hij stapte door de deur, stijf als een bevroren, eeu-

wenoud lijk uit de Noordpool. Hij knipperde met zijn ogen tegen het felle licht en keek omlaag. Zijn kleren waren kurkdroog. Achter hem drukten mensen hem naar buiten. De andere drenkelingen droegen nu ook gewone kleren: T-shirts, overhemden, spijkerbroeken, rokken. Een meisje op hoge hakken liep snufferig met een papieren zakdoekje te frummelen. Meiden! Denken ook altijd meteen dat zo'n film echt is.

Tais Teng keek om een hoekje van de deur. 'Voorzitter,' vroeg hij, 'de Vliegende Hollander hè? Dat was toch ook een zeilschip? Vlóóg dat nou ook echt?'

'Eh ja... Nou nee, niet echt,' zei Paul.

'Aha, nou dan is deze boot niet de Vliegende Hollander. Wij vliegen namelijk wel!'

'Ik vond de zee al zo verdacht rustig,' zei Els.

'We gaan in vliegende vaart op Whitby af,' zei Tais doodkalm. Ik kan de huizen al zien.'

'Wáát?'

Iedereen denderde naar boven. Langs de roerloze stuurman naar de reling. De IJskoude had niet overdreven. De schoener vlóóg over het water, voortgedreven door een aanhoudende windvlaag die strak uit het oosten kwam, alsof de storm inderdaad zo'n blazende wolk was als je in prentenboeken ziet.

'Goeie genade,' zei Henk. 'Met deze snelheid storten we zo dadelijk te pletter op de rotsen. Dan blijft er geen spaan van ons heel!'

'Hadden we de tunnel naar genomen,' snikte Els Rooijers.

Hans en Eddy waren naar de stuurman toe gehold. Ze praatten met wilde gebaren en kwamen toen met bezorgde gezichten terug.

'Paul, die stuurman is vreselijk onredelijk. We vroegen hem of ie het roer wilde omgooien, maar hij reageert niet. Volgens ons is ie hartstikke dood.'

'Dood?' vroeg de voorzitter. 'Waar doet me dat nou aan denken?'

Henk en Els stonden roerloos bij de reling te kijken hoe de

Engelse kust snel dichterbij kwam. Plotseling strekte Henk zijn arm en wees naar de zee. 'Schuimkoppen,' brulde hij. 'Maar dan anders!'

Tais Teng zag de schuimkoppen ook. 'Zeepaarden! Nee, wacht even! Dat zijn geen kelpies, dat zijn...'

'Geraamtepaarden!' toeterde Henk in zijn oor. 'Dat zijn aankondigers van dood en verderf! Dat weet ik omdat ik er net in mijn hut een verhaal over heb meegemaakt!'

Hij begon te vertellen.

Geraamtepaarden

Door Henk van Kerkwijk

ANTONIO

Even schijnt de maan door de uiteengescheurde stormwolken en wordt het dek van het oude scheepje kil verlicht.

Schichtig duikt de jongen weg achter de verschansing. Een schuimende golf raakt het schip. Zeewater spat over hem heen. Nat en angstig kijkt de jongen achterom. Niemand roept: 'Hé, Antonio! Stop!' of: 'Hé, jij daar!' Niemand brult: 'Verstekeling!' Goed, dan heeft niemand hem gezien.

Snel klautert hij het trapje af naar de volgende hut. Hier ligt, of zit, zijn laatste hoop op hulp. Alle andere passagiers zijn bewusteloos. Zij hebben niet gemerkt dat er slaappoeder door hun wijn, thee, whisky of bier gemengd was.

Hij klopt. Geen antwoord. Maar de deur van de hut is niet op slot. Dus duwt hij hem open. Binnen ligt een man met zijn hoofd op het bureaublad. Zijn wijnrode toilettas dient als kussen. Hij slaapt. Toch haalt Antonio opgelucht adem.

Want deze passagier hield kennelijk niet van de Schotse whisky die voor hem klaar stond. Zelf heeft hij Ierse whiskey uit zijn eigen heupfles gedronken. Alleen, van whiskey zonder slaapmiddel kun je net zo goed buiten westen raken als je er te veel van drinkt... Maar hij heeft hulp nodig. Dringend hulp nodig. Is deze vent wel wakker te krijgen? Antonio grijpt de man bij zijn schouder. Hij roept.

HENK

'Kan een paard over de golven rijden?'

Ik schrik op. Een vrij hoge stem is het. Maar geen vrouwenstem.

Ik moest een verhaal verzinnen, maar ben voorover op het oude bureautje in slaap gevallen. Hoe kon ik ooit slapen? Slapen op dit bedompte, naar rotting en onheil stinkende schip? Aan alle kanten kraken de balken. De planken van de scheepswanden piepen en steunen. Het is of duizenden gewonden hun lijden niet meer aankunnen en pijn de kaken van bloedende mannen, vrouwen en kinderen openwrikt.

Koortsige gruwelbeelden zijn het. Waar komen die gedachten vandaan?

'Kan een paard over de golven rijden?'

Verbeeld ik me die stem? Is het de storm soms die door het touwwerk giert?

'Kan een paard over de golven rijden?'

Ik wil *ja* roepen. Gillen om van het gevraag af te zijn. Koud zweet druppelt langs mijn hals. Ik ril. Ik knijp mijn ogen dicht. Ik wil de vraag niet horen.

'Kan een paard over de golven rijden?'

Een vrij hoge stem... geen vrouwenstem. Met tegenzin kijk ik toch op.

Een jongen staat naast mijn bureau. Hij is elf, hooguit twaalf jaar oud, schat ik. Een Surinaamse jongen. Of Antilliaans. Een gewone jongen. Een ongeruste jongen, dat wel.

'Heeft u een mobieltje? Mijn batterijtje is op,' zegt hij en hij duwt zo'n gsm-ding naar me toe. Wat ik ook verwacht had, niet die vraag.

'Nee, ik heb een staaflantaarn,' zucht ik. 'Die batterij is vast te groot.'

'Nee, met een stukje snoer maak ik zo contact,' zegt hij vol zelfvertrouwen.

Ik maak mijn koffer open. Maar mijn batterij blijkt ook leeg te zijn.

'En je scheerapparaat?' dringt hij aan.

Ik schud mijn hoofd. Ik gebruik mesjes.

ANTONIO

Antonio wijst op de bobbel in de toilettas van de man. 'Jij hebt een palm-top computer. Daar zit ook een batterij in,' zegt de jongen.

'Welnee, dat is iets anders...'

Antonio gelooft het niet en rukt de rits open. Een batterij, een batterij, hamert het in zijn hoofd. Hij graait in de tas. 'Wat moet jij hier nou mee?!' gilt hij.

Hij houdt een hoefijzer omhoog. In paniek wijkt hij terug. Hij staart de man vol wantrouwen aan.

HENK

Ik begrijp zijn plotselinge angst niet. Wat is er nou mis met een hoefijzer?

'Het is een aandenken. Het hing bij mijn oma en opa,' sus ik hem. 'Alleen wisten zij nooit of je de open kant boven of onder moest doen. "Boven stroomt het geluk altijd over je heen," zei één vriend van hun. "Met de opening aan de onderkant loopt het geluk weg als kraanwater door de gootsteen," beweerde een andere. Dus hingen zij het met open kant omhoog boven de deur. Dan spaarde je geluk op, hoopten ze.'

'Stom hoefijzer,' snikt het joch.

'Wie ben je?' Ik weet zo gauw niks anders.

'Antonio,' zegt hij. Het klinkt normaal. Meteen voel ik me geruster.

'Ik heet Henk. Henk van Kerkwijk.'

'Ja, dat weet ik.'

'Hoe kom jij hier aan boord? Toen mijn vrienden en ik ons inscheepten, zagen we die stille stuurman. Verder niks. De ruimen waren leeg en de zeelui zaten, denk ik, in hun eigen afdeling...'

'Jullie keken niet goed,' verwijt Antonio me. 'Volwassenen kijken nooit goed... en er zijn helemaal geen matrozen,' ratelt hij door voor ik een geluid kan uitbrengen. 'De enigen die ik zag – en ik zocht overal naar iemand die ik vertrouwen kon –, waren die vier enge kerels...'

Kerels? Waar heb je het over? denk ik.

Hij is mij voor. 'Wil jij me helpen? Dit kan ik niet alleen!'

En ik besef dat dit de vraag is waar ik zo bang voor was. Weer sidder ik over mijn hele lichaam. Maar ik weet ook dat ik me mijn hele leven zal blijven schamen als ik nu *nee* zeg.

Ik knik. 'Wat moet er gebeuren?'

'Dat weet ik juist niet. Daarom kom ik naar jou toe.' Ineens huilt hij.

Een heftige windvlaag raakt het schip. Boven ons hoofd klapperen zeilen. We hangen scheef. Ik houd me aan het bureaublad vast. Antonio zakt op de rand van mijn kooi en kijkt omhoog naar het olielampje dat aan een haakje in het plafond hangt te zwaaien.

'Ik zal proberen je te helpen,' beloof ik. 'Maar wat is er aan de hand? Wat is dat gevaar dat jou en ons bedreigt?'

ANTONIO

'De paarden-' Antonio's stem slaat over.

'Ja, paarden,' moedigt de man, Henk, hem aan.

'Nee, mijn zus...' Weer schudt Antonio zijn hoofd. Hij moet eerder beginnen, beseft hij. Waarom rennen volwassenen nooit meteen mee als je ze nodig hebt? Waarom moet je eerst alles honderd keer uitleggen?

'Mijn vader, zus en ik woonden eerst in Amstelveen. En toen verhuisden we naar Zuid-Holland. Naar Monster. Dat is een plaatsje aan de kust.'

Natuurlijk vraagt de man meteen: 'En je moeder, zijn je vader en moeder gescheiden?' Want dat is het eerste wat ze altijd denken. Dat je ouders uit elkaar zijn.

'Mijn moeder leeft niet meer,' zegt Antonio kortaf. 'Zij kreeg een auto-ongeluk.'

Verder gaat hij niet. Hij praat niet over de politie, die brieven over slachtofferhulp stuurden. Of de ANWB die praatgroepen organiseerde. Zijn vader zag er niets in. Zijn zus al helemaal niet. Hij was de enige die jongens wilde ontmoeten die hetzelfde was overkomen. Dan had hij hun kunnen vragen of zij ook hun raceautootjes in elkaar hadden getrapt. En of zij daar ook spijt van hadden gekregen. Hij kijkt langs de man aan het bureau heen.

'Al in Amstelveen was Mariëlla dol op paarden,' gaat hij door. 'Ze was zo'n echt paardenmeisje, weet je. Die altijd over "lieve pony's" praat; die alleen paardenboeken leest; die eeuwig paardenseries bekijkt; en op paardrijclub zit; en in haar vrije tijd bij een manege werkt. Maar ze werd zo'n echt stom zeurkind, toen zij in Monster dertien werd.'

Antonio ziet de man grijnzen. Natuurlijk, hij denkt dat alle broertjes hetzelfde over oudere zussen zeggen. Die ouwe heeft geen idee hoe stom ze werkelijk was.

'Luister. Op haar veertiende was haar pony niet goed genoeg meer voor haar. Ze wilde "een waarachtig" paard. Zo overdreven zei ze het: "een waarachtig renpaard". Ook toen onze vader ziek werd, bleef ze erom zeuren. En het werd erger toen die vier oude kerels met haar aanpapten in de coffeeshop.'

'Drugs?' De man klinkt bezorgd.

'Nee, Mariëlla is niet gek. Ze is alleen bezeten van paarden. Als ze niet zo gek op paarden was geweest, had ze die ouwe viezeriken met hun vettige jasjes en hun harige geraamtehanden en hun druipende vissenogen en hun gore lijkenstank uit hun bek nooit geloofd.'

En nou kan hij verdomme zijn tranen weer niet tegen-houden. Shit! Shit! Shit!

'Die kerels beloofden haar een renpaard, vertelde ze me. Maar ik mocht het thuis niet zeggen. Geen mens geeft een kampioenspaard weg, dus ik geloofde er niks van. Ik holde naar huis om vader te waarschuwen. Hij lag bewusteloos in de keuken. In de ziekenauto die ik met mijn mobieltje belde, raakte hij in coma. Daarom brachten ze hem in het ziekenhuis meteen naar de intensive care...'

'Stierf je vader ook?'

'Nee, hij ademde gewoon. Hij lag eng stil aan al die dra-den en plastic slangen. Ik wachtte ernaast, dat mocht, maar op de stoel hield ik het niet uit. Ik schoof het gordijn opzij en keek naar buiten. Op de parkeerplaats zag ik Mariëlla en haar vieze kerels op vier scooters komen aanrijden. Mariëlla zat op de rode scooter achterop. Die vond ze de mooiste kleur zeker, want de anderen waren saai wit en zwart en grijs. Ze dansten met z'n allen en tekenden met krijt een ster op de grond. Zo'n ster met vijf punten, jeweetwel, een stom spelletje zoals ze in heksenboeken doen. Ik rende van de afdeling af. Ik wilde haar vertellen dat ze moest ophou-den met lachen en spelen, dat onze vader ziek was. De lift was net naar beneden, dus ik nam de trap maar. Toen ik de parkeerplaats op holde, was ze er al niet meer. Ik veegde die stomme ster met mijn schoen uit. Toen zag ik die scooters in de verte rijden en heb ik een fiets gepakt – van iemand die de Eerste Hulp in rende –, en ben achter ze aan gegaan. Als ik zie naar welk huis of garage ze haar brengen, alarmeer ik de politie, dacht ik. Maar ze reden naar de haven en gin-gen met haar aan boord van dit oude schip. Ze lachte kei-hard. Ik sloop aan boord om te kijken waar ze haar zouden opsluiten, en dan de politie te bellen. Alleen toen kwam die kluit passagiers en voeren we meteen de zee op.'

Antonio kijkt naar de man. 'Ik was bang,' bekent hij.

'Maar ik werd niet zeeziek,' zegt hij vervolgens toch trots.

'Ze zijn hier aan boord?' vraagt de man.

Antonio knikt. 'En stom dat ze met hun scooters deden!' Hij is er nog verbaasd over. 'Ze reden ze gewoon het strand op en lieten ze daar staan. Terwijl de vloed aan het opkomen was! Die gasten hebben geld te veel.'

'Ik bedoel je zuster,' dringt de man aan. 'Mariëlla wordt dus hier aan boord gevangengehouden.'

'Niet gevangen, niet echt,' zucht Antonio. 'Ze zitten beneden doodgewoon met z'n allen te kaarten. Mariëlla heeft nog steeds niet door wat een engerds het zijn. "O, onze lieve mascotte", roepen ze telkens als zij een slag wint.'

'Dus wij moeten haar van die rare snuiters aftroggelen,' peinst de man hardop.

'Raar!' sputtert Antonio. 'Ik heb ze bespionneerd. Af en toe hangt er een rib door een gat in hun jas naar buiten.'

'Overdrijf niet,' bromt de man tegenover hem. 'De situatie is zo al ernstig genoeg. Trouwens,' herinnert hij zich ineens. 'Je had het over paarden, toen je me wakker maakte. Wat bedoelde je daarmee?'

'Kom maar mee.'

HENK

Eigenlijk heb ik geen zin om de veiligheid van de scheepshut te verlaten. Maar de jongen gaat op de rand van mijn kooi staan. Hij haalt de olielamp van het haakje en loopt de deur uit. Plotseling is het donker. Dan volg ik hem toch maar.

We slaan een hoek om en dalen via een dansende en zwaaiende ladder in het ruim af. Boven ons sluiten de luiken niet goed aaneen. Hier en daar straalt zilverkoud maanlicht naar binnen.

Achter in het ruim staat een grote hoge kooi. Een geweldig ding met een hek voor en achter. Aan het begin van de

reis dacht ik dat hij voor het vervoer van circusdieren dien-
de. Toen was hij leeg.

Nu staan er vier enorme paarden in. Eén rood, één wit,
één zwart en één vaalgrijs beest. Gele gebroken tanden
weerkaatsen het licht van de olielamp. De huid hangt in lel-
len omlaag. Nergens zie je vlees. Dit zijn wandelende
geraamtes.

Deze dieren kunnen niet leven, denk ik.

Een van de monsters drukt zijn neus door de zware tralies en likt aan het hete glas van de olielamp die ik omhoog
houd.

Maar dat kan niet. Paarden horen bang voor vuur te zijn
en niet naar vlammen te snakken. Nu hinnikt het grijze
paard gulzig en dringt het rode opzij.

Ik deins achteruit.

Alle vier steigeren ze tegelijk. Met hun hoofden stoten ze
wild tegen de gesloten bovenzijde van de kooi terwijl ze
met hun hoeven tegen de tralies trappen. Zwarte verf barst
van het metaal. Een merkwaardig wit materiaal. Het glanst
koud in het maanlicht.

Ik kniel en houd de olielamp er dichtbij.

De kooi is niet gemaakt van ijzer en ook niet van alumi-
nium.

'Deze tralies zijn van zilver,' fluister ik verbijsterd tegen
de jongen.

'Kijk uit!' roept Antonio.

Hij trekt me opzij. Net op tijd. Want het grijze paard
buigt zich in zijn honger naar het vuur omlaag en bijt naar
mij met zijn grote gele tanden. Vierkant zijn ze met schimmels in de barsten. Ik val op de vloer. Het beest briest en
zwavelstank walmt over me heen.

Intussen redt Antonio de olielamp.

'Zilver is een magisch metaal,' stamel ik. 'Met zilveren
kogels schiet je weerwolven dood. Maar waarom…' Ik kom

er niet uit.

Antonio luistert niet. Hij trekt mij mee naar het eind van het ruim en doet een lage deur open. We stappen een donkere gang in. Hij opent een kast, waarin ik bezems en zwabbers zie staan.

'Dit was mijn verstopplaats. Op die emmer zat ik. Ineens hoorde ik hinniken. Toen ik ging kijken, stonden die paarden in de kooi. Maar ik had geen vrachtschip langszij horen komen en geen paarden horen overhijsen. Trouwens, dat kan toch niet in zo'n storm?'

Ik knik. Ik herinner me de vraag waarmee hij mij wakker maakte: 'Kan een paard over de golven rijden?' Ik huiver. Nee, dit zijn geen normale rijdieren. Die illusie, waar ik mij in het ruim nog aan vastklampte, is nu verloren.

We kijken elkaar aan. Wij zijn allebei bang. Ik probeer het niet te laten merken, maar hij ziet het toch.

Weer pakt de jongen mijn hand. 'Kom, mee. Op je tenen.'

We glippen een matrozenhut in. Lachen hoor ik. Vals zingen. Door een spleet in het hout gluren we een veel grotere ruimte in.

Vier lange mannen hangen rond een tafel. Tussen hen in zit één stralend meisje. Wij kijken op haar achterhoofd, toch zien we dat ze lacht naar de man schuin tegenover haar. Wij kijken met haar mee. Dik dertig, schat ik hem. Met een grote grijns op zijn gezicht. Zijn buurman daarentegen is een levend skelet. Zijn neus is een zwart gat. Geel vel spant zich over zijn jukbeenderen. Nu wendt Mariëlla zich tot hem. Meteen lijkt hij nu dertig, met blond haar en een wipneus.

Als wij met haar meekijken, zien de kerels er jong uit. Maar als wij haar blik niet volgen, zien we hoe ze er werkelijk uitzien.

Ze lachen zonder tandvlees. Hun bruin aangeslagen bijtwerk steekt recht uit het bot van hun onder- en bovenkaken. Restjes haar plakken aan schedels waar de dode huid van aan het barsten is.

'O, mijn lieve mascotte.' De kerel naast haar kust haar kwijlend de hand. Maden kruipen uit zijn mondhoeken.

'Voor elk leger een mascotte!' De vent aan de andere kant drinkt uit een fles.

'Leve graaf Vlad! Die ons eindelijk werk verschaft.' De derde is ook ver heen.

'Naar Engeland,' hikt de vierde. 'Dat van die velden vol brandende koeien een paar jaar geleden, was maar een repetitie.' Hij zwaait iets dat op een ouderwetse weegschaal lijkt.

Als ik beter kijk, zie ik dat het twee bollen zijn. Gasflessen, die via een gebogen buis met een kraan in het midden aan elkaar vast zitten. Zit er gifgas of een ziekte in? Doodskoppen staan erop.

Allemaal zijn ze zwaarbewapend, realiseer ik me nu. Achter de eerste staat een machinegeweer. De tweede heeft een geweer met een geweldige bajonet. De derde een zeis, net als de vierde.

'Ja, leve generaal Vlad! Van hem krijg ik het renpaard, toch? Ja toch?' Mariëlla's ogen glanzen fel als pas gepoetst blik.

Ik trek mijn hoofd terug en fluister tegen Antonio: 'Ze is bezeten, behekst. Je zuster ziet niet hoe die gruwels er echt uitzien.'

'Sssst,' sist hij. De jongen heeft gelijk.

'Hoorde je dat?' krast een stem binnen.

'Ach, hufter, da's de storm...'

'Nee, een vette rat!'

Wij staan al buiten de hut. En net op tijd ook. De zeis van de derde slaat door de wand. Het is een geweldig elektrisch mes dat snerpend door de planken snijdt.

'Zag je die wapens?' De man huivert. 'Daar kunnen wij nooit tegenop.'

'Sssst. Snel!' Antonio trekt hem de bezemkast in. Achter hen stampen twee magere gestalten de gang op. Kerels op zoek naar de rat. 'Gek, ik zie niks…'

'Misschien vluchtte hij de kast in.'

Een hand grijpt de knop al.

Dan roept Mariëlla. 'Dit is de winnende kaart. Ik heb gewonnen. Gewonnen!'

'Niks van an.' De kerels benen terug.

'Konden we die kerels maar in een val lokken,' zucht de man. 'Alleen, ik heb geen idee hoe.'

'De paardenkooi,' sist Antonio zacht.

'Ja!' Tussen de zilveren stangen worden die monsters van een andere wereld vastgehouden. Dat werkt voor die kerels vast ook, die horen evenmin op aarde thuis.

Alleen… hoe krijg je ze erin?

Samen werken ze geluidloos in het ruim. Ze ontsluiten de hekken aan de voor- en achterkant. De man drijft de paarden op. 'Vort! Vort! Wegwezen…'

Antonio lokt ze met de olielamp. Verdwaasd stampen de beesten door het bewegende ruim. Nu moeten hun ruiters het ruim in gelokt worden. Terwijl hij de lamp onder een emmer verstopt, schreeuwt hij: 'Ontsnapt! De paarden zijn ontsnapt!'

Lukt het?

Ja! Hij hoort woeste stappen in de gang.

Snel drukt hij zich tegen de wand naast de deur. Het is een onnodige voorzorg. Geen van de vier vloekende kerels kijkt opzij als ze het ruim in stormen.

'Hoe kon dit gebeuren?'

'Rotbeesten! Hierheen!' Ze drijven de paarden terug de zilveren kooi in. Drie stappen mee naar binnen.

En achteraan trekt Antonio het hek open. Tegelijk licht hij de emmer op. Opnieuw worden de paarden door de vlam in de olielamp aangetrokken.

'Stop! Stop!'

De vierde staat nog in de ingang vooraan.

'Henk! Nu!' schreeuwt Antonio.

HENK

Ik spring naar voren en stoot de magere figuur in zijn rug. Hij valt naar binnen.

Ik smijt het voorhek dicht. Antonio aan zijn kant doet hetzelfde.

Nou de sleutel omdraaien. Ja, het slot klikt dicht. De sleutel glijdt er stroef uit.

Een benige hand sluit zich om mijn keel.

'Hel...' Koud wordt het.

Ik kan geen woord meer uitbrengen.

ANTONIO

'Dat zal je laten.' Antonio rent met zijn lamp omhoog naar voren en drukt het gloeiende glas tegen de hand.

'Aaahhh!'

In tegenstelling tot de geraamtepaarden kunnen hun ruiters niet tegen vuur. De kerel krijst en laat los.

De ouwe Henk struikelt naar voren. Antonio pakt zijn hand en trekt hem mee naar de deur.

Maar nu denderen de op het vuur beluste paarden achter hen aan. Zwarte tongen hangen uit de open bekken.

Antonio smijt de deur dicht. Zware hoeven hameren op het hout.

Voor hen staat Mariëlla in de gang, met een kaart, de schoppenvrouw, in haar hand. 'Ga weg, uk. Dit is de winnende kaart. Ik won een renpaard,' roept ze woest tegen haar broer. Ze duikt onder zijn arm door en holt het trappetje op.

Nog steeds loeit buiten een stormwind.

'Mariëlla, kom met ons mee,' smeekt Antonio. 'We komen je redden.'

'Ik hoef niet gered. Ik wil mijn renpaard. Als ik dat niet krijg, is er vals gespeeld.'

'Je moet naar het ziekenhuis komen. Papa gaat ook dood,' roept haar broer.

'Kan me niks schelen.' Ze lacht schel.

Een luid gekraak klinkt achter haar. De paarden stoten de luiken open en slaan de hoeven over de rand. Ze klimmen het ruim uit. Helse rook spuit uit hun neusgaten.

'Mijn renpaard!' Mariëlla grijpt de manen van het rode dier en hijst zich op zijn rug. 'Eindelijk heb ik je,' juicht ze.

Intussen stuift het vaalgrijze paard briesend de zee op. Zijn hoeven raken het water niet eens. Verderop danst het witte paard op het schuim van de golven. Het zwarte paard springt erachteraan. En nu draaft ook het rode dier hinnikend naar de boeg toe.

HENK

Ik moet ze tegenhouden, weet ik. Als ik het helse dier niet stop, is het meisje voorgoed verloren. Ik grijp een bootshaak en werp hem als een speer naar het wegspurtende paard.

De punt en de haak dringen in de paardenbil. Het hele hout verdwijnt erin en valt er dwars doorheen op het dek, waar het trillend in de planken blijft steken.

Al is het beest onkwetsbaar, de aanval heeft het wel gevoeld. Het paard steigert. Het draait op zijn achterbenen rond en raast op ons af.

Dit is onze laatste kans. Als ik het meisje wil redden, moet ik haar nu van die paardenrug af krijgen. In mijn zak zit het hoefijzer van mijn oma en opa. Ik heb het er achte-

loos ingestopt toen we het ruim in gingen. Zal ik dat naar
haar toe smijten?

Ik twijfel. Een meisje is een kleiner doelwit dan een
paard. Gymnastiek was mijn slechtste vak op school. Ik
raak haar nooit. Ik kijk naar de jongen naast mij.

'Ben jij goed in basketbal?' vraag ik.

Hij begrijpt mij meteen. Hij knikt.

ANTONIO

Antonio zwaait het hoefijzer boven zijn hoofd en gooit.

Het ijzer raakt Mariëlla's hoofd. Terwijl ze naar achteren
helt, graait ze omhoog. Ze vangt het ijzer. Houdt het vast.

De twee punten van het hoefijzer wijzen omlaag. Het
opgespaarde geluk stroomt eruit en is sterker dan de kwade
bezweringen die over haar zijn uitgesproken.

Een warme gouden gloed omringt haar. Ze wankelt. Zal
ze rechts vallen in de schuimende golven, of links, op dek?

Vanuit een wolk geeft een bruine arm haar een duw. Of
was het een windstoot?

Mariëlla tuimelt op het dek met het hoefijzer en de
speelkaart nog steeds in haar handen. Het rode paard
vlucht samen met zijn soortgenoten over de kolkende zee.

Licht valt uit de hemel. Een kolom licht waarin de zilveren kooi opstijgt. Gevangen binnen het magische metaal
worden de onheilbrengers teruggevoerd naar de plaats van-
waar ze ontsnapt waren.

Dan is het over. Het licht is verdwenen. Splinters en
gebroken planken drijven op de golven. Maar de zee lijkt
rustiger, de wind minder koud, de maan bijna warm.

Mariëlla kijkt op. Haar ogen glanzen. 'Antonio, waar ben
ik? Ik dacht dat ik mama zag,' zucht ze.

De kaart in haar hand is in een hartenvrouw veranderd.

Een mobieltje gaat.

'Je batterijtje werkt weer,' roept de man.

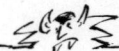

Antonio klapt het apparaatje open en brengt het aan zijn oor.

'Papa! Het is papa,' zegt hij.

'Dat verhaal moet je een andere keer nog maar eens vertellen, Henk,' zei Paul. 'Of schrijf het op. Ik geloof dat we er niet helemaal bij waren.'

Aan de gezichten van de anderen te zien, had de voorzitter gelijk.

Jaques bijvoorbeeld, was verdwenen in de Tussentijd en Els zat met haar handen in haar grauwwitte haar. 'Wat ik nou niet begrijp,' zei ze, 'is waarom ze zo'n ouwe zeilveerboot die naar Engeland vaart DE METER noemen. In Engeland doén ze toch helemaal niet aan meters? Daar hebben ze yards en inches.'

De voorzitter keek naar Els, keek toen naar hun voeten. Het schaamrood steeg naar zijn kaken.

'DE METER...' mompelde de Eeuwige.

'Nee, DEMETER!'

'Oké, oké,' zei Els. 'Jij legt de klemtoon anders, wat is er nou zo erg?'

'Het is niet erg, het is rampzalig!' zei Paul. 'Deze schoener is de DEMETER, de schuit waarop Dracula naar Engeland voer.'

'De schoener die op de klippen van Whitby liep,' zei Eddy C. Bertin. En Tais voegde eraan toe: 'De schoener die zonder bemanning toch de oceaan overstak.'

'Wacheffe hoor,' zei Els, 'ik volg jullie even niet meer.'

'Dracula, van Bram Stoker,' legde Hans van de Waarsenburg uit. 'Je weet wel, het boek. Of de film, wat je wilt.'

'Ga je mij vertellen dat we op een boot uit een bóek zitten?' vroeg Els.

Hans knikte. 'Maar niet lang meer, ben ik bang.'

'Nee,' zei Henk van Kerkwijk. 'Nog een halfuurtje en dan racen we de haven van Whitby in en komen met een verpletterende klap op de rotsen aan ons einde.'

'Nee,' brulde Els. 'Nee, dat wil ik niet!'

Weijters en Van Ede hadden een stukje verderop gestaan en iets met elkaar besproken. Nu kwam de Eeuwige op de voorzitter af.

'Zeg voorzitter,' zei hij. 'We hebben het over verhalen gehad, met ingangen en uitgangen en nooduitgangen. Weijters weet intussen zéker dat dit een verhaal is, waar wij nu in staan.'

De voorzitter knikte. 'Dracula. Deze schoener is de DEMETER. Ik wist het van het begin af aan al. Ik snap alleen niet waarom ik er nu pas op kom, Eeuwige.'

'Omdat de schrijver van dit verhaal dat zo wilde,' zei de Eeuwige nadenkend.

Henk van Kerkwijk knikte instemmend. 'Vandaar ook al die aanwijzingen, die verborgen boodschappen. Verhalen over vampiers, schipbreuken, stormen en dode kapiteins...'

'Als wat u zegt waar is, voorzitter,' zei de Eeuwige, 'dan is dit het laatste verhaal dat ik al zo lang zoek. Vreemd, ik had altijd gedacht dat het anders zou zijn.'

'Hoe bedoel je, hoe bedoel je?' vroeg Els.

'Als wij op de rotsen te pletter slaan, is dat echt einde verhaal,' legde Hans van de Waarsenburg droogjes uit.

'En ik kan de havenlichten van Whitby al tellen,' zei Henk onverstaanbaar zacht.

Jaques Weijters verscheen en zei somber: 'Nergens een nooduitgang te zien. In dit hele verhaal niet.'

Hij was nog niet uitgesproken of de secretaris verloor voor de tweede keer tijdens de reis zijn sigaartje. Zijn mond viel open, het sigaartje vloog als een veertje mee met de wind. Eddy wees met een bibberige arm. 'Kijk!' Hij gilde zó hard dat iedereen het hoorde.

Uit het spattende zeewater ontstond een schip, een zeilschip dat steeds duidelijker werd alsof iemand het met waterverfstreken neerzette. Een wit schip, witte zeilen en één zwarte vlag. Een piratenvlag.

'Er komt helemaal geen piratenschip in Dracula voor...' zei Paul verbaasd.

'In Bram Stokers Dracula is er ook geen Griezelgenootschap aan boord van de DEMETER,' zei de Eeuwige peinzend. 'Jaques heeft gelijk. Iemand heeft ons in een verhaal geschreven. Iemand die van ons af wil.'

'Ik vond het al zo vreemd,' zei Tais Teng. 'Ik kon me het eeuwfeest van de vorige keer helemaal niet herinneren. Zo slecht is mijn geheugen toch echt niet.'

De Eeuwige knikte. 'En ik dacht al: hoe kan het nou dat ik nog nooit van de Fear Society heb gehoord?'

'Kijk nou, kijk nou!' piepte Eddy.

Op een van de ra's van het piratenschip verscheen een figuur. Een piraat met een driekante hoed, een pofbroek en een sabel tussen zijn tanden. De piraat graaide naar iets boven zich en het volgende moment slingerde hij aan een enorm lang wanttouw door de lucht.

Het GG keek ademloos en roerloos toe hoe de piraat op de reling van de DEMETER landde, het zwaard uit zijn mond nam en er een groetend gebaar mee maakte.

'Die kop...' zei Eddy, 'die kop kén ik.'

'En die hoef ook,' zei de voorzitter. Dat hij doelde op de bokkenpoot aan het rechterbeen van de piraat hoefde hij niet uit te leggen.

'Dat is...' zuchtte Hans van de Waarsenburg.

'Dat is de man met de bokkenpoot!' zei de IJskoude Teng ijzig kalm. 'Dat is de vent die op bijna al de omslagen van onze griezellige bundels staat.'

'De man die Camila altijd voor ons tekent?' zei Els verbaasd. 'Ja, verdomd, Teng, je hebt gelijk.'

Henk plukte in zijn baard en mompelde: 'Wat komt díe

hier nou doen?'

Het antwoord speelde zich even later voor hun ogen af.

De man met de bokkenpoot liep naar het stuurrad van de DEMETER *en hakte de touwen die de stuurman overeind hielden met één snelle houw van zijn degen door. Daarna pakte hij het roer en gaf er een enorme ruk aan. De* DEMETER *verloor onmiddellijk snelheid. De zeilen begonnen te klapperen en vielen slap tegen de masten. Terwijl de man met de bokkenpoot met snelle gebaren allerlei touwen doorsneed, zakten de zeilen van de schoener op het dek neer als was die van de lijn valt. Toen zag niemand iets meer dan zeildoek.*

De DEMETER *dobberde als een zwemband in de branding. De zon was opgekomen en zijn stralen schitterden op een kalme zee. Ze maakten de rotsen van Whitby spierwit. Een paar honderd meter verderop staken de havenhoofden uit het water op, maar niemand had behoefte om haast te maken met binnenvaren.*

De voorzitter en de Eeuwige zaten naast elkaar op de achterplecht.

'Dus,' zei de Eeuwige, 'volgens mij is het zó gegaan: een schrijver die wij allemaal kennen maar wiens naam wij niet zullen noemen, wilde van ons af. Hij wist dat we voor het eeuwfeest naar Whitby zouden gaan...'

'En jaloers dat hij niet mee mocht...' zei Paul.

'...schreef hij onze ondergang.' knikte Bies.

'...Maar wat gebeurde er? Het verhaal kwam ter illustratie terecht bij Camila Fialkowski...'

'...Ons buitengewone lid...'

'...en zij verijdelde het plannetje,' vulde de voorzitter aan. 'Ze tekende de man met de bokkenpoot die ons kwam redden.'

'Vandaar dat Tais zich dat vorige eeuwfeest niet kon herinneren. Dat is er nooit geweest en de Fear Society óók niet, Allemaal verzonnen door die ene schrijver.'

Jaques Weijters kwam te voorschijn uit de Tussentijd. 'Het wordt wel een beetje klef met jullie twee,' zei hij misprijzend. 'Jakkes.'

'Maar we hebben wél gelijk,' zei de voorzitter.

De Afwezige knikte. 'Ja, ik heb het gecontroleerd. Iemand heeft een nooduitgang in dit verhaal gehakt. Camila Fialkowski, zij moet het geweest zijn.'

'En ze mocht niet eens mee naar het eeuwfeest. We moeten ons schamen,' zei Jaques Weijters en verdween weer in de Tussentijd om zich te gaan schamen in een heel ander verhaal.

'Zeg,' zei Henk van Kerkwijk die achter een slap zeil vandaan kwam, 'wat gaan we nou doen? Blijven we hier dobberen? Dan is straks het bier op en de kaas en...'

'En de kakkerlakken,' zei Els wier haar van alle opwinding vuurrood was geworden.

'Wisten jullie eigenlijk dat er helemaal geen Iers Griezelgenootschap is?' vroeg de voorzitter.

Henk schudde zijn hoofd. 'Nee, nou je het zegt...'

Het hoofd van Teng verscheen. 'Maar d'r staat wel een clubje roodharigen op de kade liederen te blèren en zwart bier te drinken. IJskoud bier. Kunnen we alsjeblieft aan land gaan? Ik smelt weg.'

Hans van de Waarsenburgs hoofd verscheen naast hem. 'Zeg, wie is die schrijver die ons in dit verhaal in de val wilde lokken?'

'We hebben besloten zijn naam nooit meer te noemen,' zei de voorzitter, 'want het is...' Zijn hoofd schoot in de luisterstand. 'Ja, natuurlijk,' zei hij. 'Graag, GehAd.'

Het volgende moment was de wind terug, de zeilen bolden weer, het stuurwiel draaide krakend en de DEMETER *voer de haven van Whitby binnen, waar de buitenlandse griezelgenootschappen voltallig op de kade stonden als welkomstcomité.*

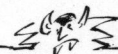

Het werd een memorabel feest, waar Camila Fialkowski dank-zij de GehAd op wonderbaarlijke wijze óók aanwezig was. Daar zullen in de toekomst nog wel verhalen over geschreven worden. En er zullen vast ook verhalen komen over een zekere schrijver die van het Griezelgenootschap probeerde af te komen. Maar dat zijn verhalen die een andere keer verteld moeten worden.

Griezellige groeten,
namens het voltallige GG,
Bies de Eeuwige van Ede

De leden van Het Griezelgenootschap

Paul van Loon

Ik wou dat ik tijd had voor een hobby, zucht de voorzitter wel eens. Maar als hij een hobby heeft, zoals gitaarspelen, wordt het al gauw serieus. Voor je het weet staat hij op de planken met de Eeuwige. Dan spelen zij hun griezelliedjes in theaters in het hele land. En dan nemen ze ook nog een cd op, *De Magische Griezeltoer*, die dan weer bij het boek *De griezeltoer* zit. Kun je dan nog wel van een hobby spreken?

Tais 'de IJskoude' Teng

Hobby's? Ik verzamel eigenlijk helemaal niks. Tja, ik heb een paar duizend boeken, maar dat is toeval. Die kocht ik gewoon omdat ik ze wilde lezen. Verder vind ik het leuk om stenen afgodsbeeldjes te beeldhouwen. Soms werken ze nog ook. Schilderen doe ik ook graag, maar alleen als het bloed nog vers is.

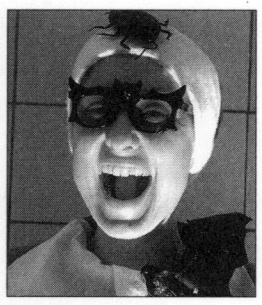

Els Rooijers

'Puzzelen en prutsen,' zei Els Rooijers toen de voorzitter naar haar hobby's vroeg. 'Met wat botten, een paar stukken schedel en wat bouten, maak ik zo een leuk modelletje. Mijn materiaal graaf ik zelf op. Afhankelijk van wat ik vind, knutsel ik geheel naar eigen inzicht een Pierlala. Wil jij er soms een voor op je kamer? Ze zijn te koop.'

Bies 'de Eeuwige' van Ede

'Wat je op woensdagmiddag doet als hobby?' zegt de Eeuwige spottend. 'Weet ik veel. Je linkerbeen controleren op beestjes? Sinds mijn overlijden in 1983 ben ik de hobby van alles wat wriemelt en kruipt. Vroeger, vóór ik niet meer leefde, toen waren hobby's nog hobby's. Blokfluit, gitaar en zang. Ach, jullie moesten eens weten.

'Hou eens op met zeuren over vroeger,' zegt de voorzitter.

'Dat is niet een hobby ópgeven,' straalt de Eeuwige, 'dat is een hele nieuwe hobby! Leuk!'

De voorzitter zucht.

Henk van Kerkwijk

Rond mijn huis ligt het land er verwilderd bij. Een gebroken schommel hangt aan twee halfvergane touwen aan een oude boomtak. Dat touwwerk bracht mij op het idee van dit verhaal. Maar mijn vrienden in het dorp vinden dat kapotte speeltuig niet netjes staan. 'Smijt dat beschimmelde ding toch weg,' zeggen zij.

Dan schud ik mijn hoofd. Het zou ondankbaar zijn, vind ik.

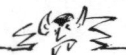

Eddy C. Bertin

Restaurant Grieselhuyse is geen fantasie, het bestaat echt en bevindt zich vlakbij Turnhout in België. Ik heb er zelf gegeten, tussen de zombies en vampiers, en het was erg lekker. Ik ben dol op lekker eten. Uiteraard krijg je in dat restaurant geen hoofdschotel zoals in Grieselhuyse... hoewel... Bij al dat kaarslicht zie je toch nooit wat op je bord ligt.

Hans van de Waarsenburg

Heel veel mensen hebben hobby's. Soms zijn dat hele vreemde hobby's. Zo zijn er mensen die vette slangen in hun huiskamer houden of parfumflesjes verzamelen.

Nog niet zo lang geleden kwam ik een oude jeugdvriend tegen, die een verhaal vertelde over de hobby van zijn oom Frederik. Ik geloofde mijn oren niet. Tot hij me foto's liet zien en enkele vergeelde krantenartikelen...

Jaques Weijters

De Tussentijd is een keihandige hobby. Voorbeeldje: nooit meer balen over blunders bij overhoringen, proefwerken, noem maar op. Je zoekt de antwoorden gisteren even op en neemt ze mee naar vandaag. Of je slaat gewoon een dagje over. Die dag doe je dan later een keer, als je alles al weet. Want je moet wel je tijd volmaken.